LAILA & MAJNUN

NIZAMI

LAILA & MAJNUN

A CLÁSSICA HISTÓRIA DE AMOR DA LITERATURA PERSA

Adaptação em prosa:
Colin Turner

JORGE ZAHAR EDITOR
Rio de Janeiro

Para Mahshid, com amor

Tradução:
Marissom Ricardo Roso
Revista por:
Angela Ramalho Vianna

Título original:
Layla and Majnun

Adaptação em prosa
por Colin Turner

Tradução autorizada da primeira edição inglesa
publicada em 1997 por Blake Publishing,
de Londres, Inglaterra

Jorge Zahar Editor Ltda.
rua México 31 sobreloja
20031-144 Rio de Janeiro, RJ
tel.: (21) 2240-0226 / fax: (21) 2262-5123
e-mail: jze@zahar.com.br
site: www.zahar.com.br

CIP-Brasil. Catalogação-na-fonte
Sindicato Nacional dos Editores de Livros, RJ.

Nizami, 1140-c.1203
N658L Laila & Majnun: a clássica história de amor da literatura persa / Nizami; adaptação em prosa por Colin Turner; [tradução da ed. inglesa, Marissom Ricardo Roso]. — Rio de Janeiro: Jorge Zahar Ed., 2002

Tradução de: Layla & Majnun
ISBN 85-7110-688-6

1. Poesia persa. 2. Poesia de amor. I. Turner, Colin. II. Roso, Marissom Ricardo. III. Título.

CDD 891.51
02-1841 CDU 891.151

Só o homem pode conhecer a dor de ter algo de que não precisa ao mesmo tempo em que precisa de algo que não possui...

Laila

ERIC CLAPTON

O que você vai fazer quando se sentir sozinha
E não tiver ninguém ao seu lado?
Você correu e se escondeu por muito tempo;
Você sabe que isso é só o seu orgulho bobo.

Laila, estou a seus pés. Laila,
Meu bem, eu imploro, por favor. Laila,
Meu bem, você não vai acalmar minha mente aflita?

Eu tentei consolá-la
Quando seu antigo namorado deixou você pra baixo.
Como um idiota, me apaixonei por você
Você virou meu mundo de cabeça para baixo.

Laila, estou a seus pés. Laila,
Meu bem, eu imploro, por favor. Laila,
Meu bem, você não vai acalmar minha mente aflita?

Vamos aproveitar ao máximo
Antes que eu acabe perdendo o juízo.
Por favor, não diga que nunca vamos achar um jeito
E que o meu amor é uma bobagem.

Laila, estou a seus pés. Laila,
Meu bem, eu imploro, por favor. Laila,
Meu bem, você não vai acalmar minha mente aflita?

Laila

ERIC CLAPTON

What will you do when you get lonely
No one waiting by your side?
You've been running and hiding much too long;
You know it's just your foolish pride

Laila, got me on my knees. Laila
I'm begging, darling, please. Laila
Darling, won't you ease my worried mind?

Tried to give you consolation;
Your old man had let you down.
Like a fool, I fell in love with you;
You turned my whole world upside down.

Laila, got me on my knees. Laila
I'm begging, darling, please. Laila
Darling, won't you ease my worried mind?

Make the best of situation
Before I finally go insane.
Please don't say we'll never find a way
Tell me all my love's in vain.

Laila, got me on my knees. Laila
I'm begging, darling, please. Laila
Darling, won't you ease my worried mind?

Introdução

Já se escreveu muito mais sobre o amor do que sobre qualquer outra área da experiência humana. Desde que começamos a submeter nossas idéias e nossos sentimentos ao papel, os escritores do mundo todo aprimoraram seus poemas sobre as alegrias do amor e sobre os sofrimentos do amor não correspondido.

Sem dúvida alguma *Laila & Majnun* é a história mais popular do mundo islâmico. Por cerca de mil anos, novas versões deste conto trágico surgiram em prosa, verso ou canção em quase todos os idiomas do Oriente Islâmico, mas ainda é o poema épico de Nizami que serve de base para todos os outros.

O soberano persa Shirvanshah foi quem incumbiu o poeta também persa Nizami de escrever *Laila & Majnun*, em 1188 d.C. No prefácio original do poema, Nizami explicava que um mensageiro de Shirvanshah chegou e entregou-lhe uma carta de próprio punho do rei. Exaltando Nizami como "o mágico universal da eloqüência", Shirvanshah pedia ao poeta que escrevesse uma épica romântica baseada num simples conto folclórico árabe: a antiga história de Majnun, o "poeta enlouquecido por amor", e Laila, a célebre beleza do deserto.

Desde a decadência do islamismo, cerca de 500 anos antes, a lenda de Laila e Majnun tornara-se tema popular das canções, sonetos e odes de amor dos beduínos na Arábia. Majnun estava associado a um homem que existira de fato, Qays Ibn al-Mulawwah, que provavelmente vivera na segunda metade do século VII d.C., no deserto de Najd, na Península Árabe. Na época de Nizami havia muitas variações sobre o tema de Majnun circulando pela região, e sem dúvida alguma Shirvanshah seduziu Nizami com a idéia de criar alguma coisa "especial".

De início Nizami relutou em aceitar a tarefa, porque achava a história que lhe ofereciam "desprovida de jardins, pompas reais, festividades; sem qualquer riacho, vinho ou felicidade", todos esses elementos fundamentais da poesia persa clássica. Mas por fim, por insistência de seu filho, acabou cedendo. Menos de quatro meses depois, estava pronto o *Laila & Majnun* de Nizami, que compreende originalmente cerca de 8 mil versos.

É praticamente certo que Nizami teria aproveitado todo o material — escrito e oral — de que dispunha. Ele preservou a atmosfera beduína do conto original, mas, ao mesmo tempo, situou a história no mundo persa, muito mais civilizado à época, embelezando o conto com as ricas cores e imagens de seu próprio idioma nativo e da tradição literária a que ele pertencia.

Nizami realmente criou algo especial para seu patrão, Shirvanshah. Essa notável originalidade está no retrato psicologicamente majestoso que ele faz da complexidade das emoções humanas quando confrontadas com o "amor que não conhece leis". A leveza de um coração que se apaixona; a excitação do afeto mútuo; as aflições da separação; as dores da dúvida e do ciúme; a amargura do amor traído; o pesar que vem com a perda — Nizami retraça todo o mundo misterioso do amor, sem deixar de explorar qualquer de suas regiões. A linguagem do autor pode ser a da Pérsia do século XII, mas o tema é daqueles que transcendem todas as barreiras de tempo e espaço.

DR. COLIN PAUL TURNER
Universidade de Durham

1

Era uma vez, na antiga Arábia, um homem — um grande senhor, um *sayyid*, que governava uma tribo conhecida como Banu Amir. Nenhum outro domínio alcançou mais prosperidade e sucesso que o dele, e sua coragem como líder de homens era conhecida em toda a região. Para os pobres, ele era generoso — as portas de seu vasto tesouro estavam sempre abertas, e as cordas de sua bolsa estavam sempre desatadas. Era lendária sua hospitalidade para com os estrangeiros. Embora fosse amado por seu povo e desfrutasse do tipo de respeito dedicado somente a sultões e califas, ele percebia sua situação de um modo diferente: via-se como uma vela que se consome lentamente sem irradiar luz suficiente para os outros. Uma tristeza enorme e permanente corroía seu coração, obscurecendo seus dias — o *sayyid* não tinha filhos.

Que importância há em riqueza e poder quando um homem não tem filhos? De que adiantam glória e prestígio se não há alguém para continuar o nome da família? E que propósito existe numa vida que não conhece a felicidade proporcionada pelos filhos? O velho ponderava sobre essas questões. E quanto mais pensava, maior se tornava sua dor. As orações não produziam resultado, as esmolas que dava eram vãs. Ele esperava por uma lua cheia que não nasceria, por uma rosa que não iria florescer. Mesmo assim, nunca deixou de ter esperança.

Esse desejo ardente tomou conta de sua alma de tal forma que ele se esqueceu de todo o resto. Por causa dessa coisa tão desejada pelo seu coração, e que ele não possuía, ignorava os muitos dons que Deus lhe havia concedido — saúde, riqueza, propriedades. Afinal, não é assim que funciona a cabeça de um homem? Quando as metas não são alcançadas e nossas orações não são respondidas, algumas vezes paramos para pensar se o aparente silêncio de Deus não seria para o nosso próprio bem. Nós nos convencemos de que conhecemos nossas próprias necessidades, é verdade. Mas essas são necessidades ambicionadas — e não realmente necessárias —, que às vezes causam nossa ruína. É claro que, se pudéssemos adivinhar o que o futuro nos reserva, essa confusão nunca iria existir. Mas o futuro está vedado aos nossos olhos; as linhas do destino de cada homem estendem-se muito além dos limites do mundo visível. Para onde elas nos conduzem, nós não podemos ver. Quem pode dizer se a chave que hoje abre portas não será aquela que as fechará amanhã, ou viceversa?

E assim, o *sayyid* rezou, jejuou e até deu esmolas, e justamente quando estava a ponto de admitir a derrota Deus atendeu ao seu desejo. Concedeu-lhe um menino, uma criança linda como um botão de rosa recém-aberto, bonita como um diamante cujo brilho era capaz de transformar a noite em dia. Para celebrar o nascimento do menino, o *sayyid* destrancou as portas do tesouro e distribuiu ouro como se fosse areia. Todos vieram compartilhar sua alegria, e o evento maravilhoso foi celebrado com muitos festejos por toda a região.

A criança foi entregue aos cuidados das mãos carinhosas de uma ama-de-leite, que a amamentou e a viu crescer forte e saudável. E assim foi. Quatorze dias depois de seu nascimento, o menino já se assemelhava à lua cheia em todo seu esplendor, espalhando luz sobre a terra e enriquecendo a visão de todos os que sobre ele punham os olhos. No décimo quinto dia, seus pais deram-lhe o nome de Kais, do árabe *qais*, que significa "lua". E tudo foi feito em segredo, escondido dos outros, para evitar o Mau-olhado.

Um ano se passou, e a beleza do menino floresceu sem máculas. Após um ano, era uma criança feliz e brincalhona — uma flor cuidadosamente zelada no feliz desabrochar da infância. Ao final do sétimo ano, os primeiros sinais de aproximação da maioridade começaram a brilhar com uma aura violeta em suas faces avermelhadas como tulipas. Até mesmo aqueles que só conseguiam vê-lo de longe invocaram as bênçãos de Deus sobre o menino, e até que sua primeira década de vida houvesse terminado, as pessoas narravam histórias sobre sua beleza como se estivessem contando de novo as histórias de fadas.

2

Atento às necessidades de educação do menino, o *sayyid* colocou o filho sob a tutela de um estudioso de renome, um sábio a quem todos os árabes de descendência nobre confiavam suas crianças para que elas adquirissem a sabedoria e as habilidades necessárias à vida no deserto. Pouco importava se as crianças muitas vezes tinham medo do professor, pois agora era o tempo de guardar os brinquedos e levar os livros a sério.

Kais era esforçado e entusiástico. Logo superou seus colegas em todos os aspectos e provou ser o melhor aluno a quem o professor já havia ensinado. Destacava-se sobretudo na leitura e na escrita. Quando falava, em debates ou na simples conversação, sua boca semeava pérolas de sabedoria. Era uma delícia ouvi-lo.

Entretanto, algo bastante inesperado aconteceu. Quase todos os alunos da turma de Kais eram, como ele, de famílias nobres de tribos diferentes, incluindo várias meninas jovens. Um dia, uma nova menina juntou-se à classe, uma menina de beleza tão deslumbrante que Kais e todos os outros da turma imediatamente se apaixonaram por ela...

O nome da menina era Laila, do árabe *layl*, que significa "noite". Fazendo jus ao nome, seu cabelo era realmente tão escuro quanto a noite, e, sob a sombra dos cabelos, sua face brilhava como um farol radiante de beleza. Os olhos eram escuros, profundos e brilhantes, como os olhos de uma gazela. Com um simples tremular de cílios ela poderia reduzir o mundo a ruínas. A boca minúscula só se abria para dizer as coisas mais doces, e quando os outros respondiam — com palavras ou sorrisos —, ela ruborizava, as faces brancas transformadas em rosas vermelhas.

O mais glacial dos corações teria se derretido ante a visão desse verdadeiro milagre da criação, mas o jovem Kais sentia-se mais apaixonado pela recém-chegada do que qualquer um de seus colegas. Antes mesmo de saber o que era isso, ele estava navegando num mar de amor. Entregou seu coração àquela menina antes mesmo de perceber o que estava entregando. Com Laila não foi diferente, porque ela também havia se entregado. Um fogo foi aceso nos dois corações, um refletindo o outro. E o que poderiam fazer para proteger-se contra as chamas? Nada! Eram crianças, e as crianças aceitam o que lhes acontece sem questionar muito. O Amor era um jarro de vinho que enchia seus cálices até a borda, e eles beberam o quanto lhes foi oferecido. E, é claro, ficaram embriagados, sem a menor idéia do poder do vinho. A primeira embriaguez é sempre a mais cruel. A primeira queda é sempre a mais dura. O primeiro corte é sempre o mais profundo.

E assim foi, até que ambos chegassem longe demais para voltar atrás, encantados por um poder mágico cuja fonte eles não reconheciam, um poder cuja magia era muito grande para que eles a ela se opusessem. Beberam profundamente do cálice do amor noite e dia, e quanto mais bebiam, mais cegos ficavam. Seus ouvidos ficaram surdos para a escola e para o mundo além da sala de aula. Kais e Laila tinham-se perdido... e se encontrado um no outro.

3

Dizem que o primeiro amor é o maior, e que sua feliz lembrança jamais se apaga. Para Kais e Laila isso certamente aconteceu. Realmente, tão intensa era a felicidade deles que não ousaram questioná-la, por medo de que ela pudesse desaparecer tão rapidamente quanto chegara.

Para Kais, Laila era como o sol erguendo-se no céu com beleza e esplendor inigualáveis. A cada dia ela irradiava mais brilho, e não iluminou somente o mundo dele, mas o mundo de todos aqueles que tiveram a sorte de conhecê-la. Os outros meninos também foram atingidos, cheios de medo, pela luz ofuscante que dela emanava. Durante as aulas, olhavam para ela, boquiabertos, até que o professor aparecesse com a vara, batendo neles e trazendo-os de volta às lições. Se a escola estivesse fechada, eles vagavam pelas aléias estreitas e pelas passagens entre as tendas do mercado, na esperança de captar um minúsculo vislumbre da face de Laila. E sempre que conseguiam vê-la, sentiam-se como romãs sumosas e prontas a explodir de desejo. Tal era a atração que ela exercia.

Naturalmente Kais soube que os outros meninos desejavam Laila, mas também sabia que eles não poderiam desejá-la tanto quanto ele, e, assim, suas artimanhas não o perturbavam. Ao mesmo tempo ele sentia uma certa preocupação, uma espécie de pressentimento de que o destino estava preparando algo para eles dois. Pelo milagre da beleza de Laila, ele sabia que nunca estaria a sós com ela. Sabia que sempre haveria alguém

— ou algo — que se colocaria entre eles. De repente, a situação toda parecia mudar, e o que ele imaginava perfeito agora parecia exibir seus defeitos. Lentamente, quase imperceptivelmente, uma pequena nuvem negra começou a surgir no horizonte.

Mas não é sempre assim? Nada dura para sempre: tudo neste mundo de transição está predestinado a um dia fenecer.

Enquanto os dois amantes se aqueciam no fogo do amor que um sentia pelo outro, sorvendo o vinho do esquecimento e desfrutando o paraíso do olvido, os olhos do mundo caíam sobre eles. Teriam os outros percebido o que acontecia entre Kais e Laila? Teriam visto os olhares roubados, furtivos, trocados entre eles? Poderiam ler os sinais e decifrar os códigos do amor secreto que impelia seus corações um rumo ao outro? Quem sabia sobre eles, e quanto sabiam? Nada foi dito, é claro. Até que um dia, no mercado, ouviu-se uma voz dizer: "Kais e Laila estão apaixonados. Você não sabia?"

Dizem que um simples sussurro pode causar a ruína de um reino. E logo cochichavam-se rumores por toda a cidade, de tenda em tenda, em toda parte, de cocheira em cocheira.

Lentamente os dois amantes começaram a perceber como tinham sido cegos. As pessoas tinham-nos visto juntos, ouvido eles falarem, presenciado os sorrisos. Em seu casulo de amor, eles estavam completamente inconscientes. O véu fora rasgado, a parede havia ruído, e agora chegara o tempo de agir, de economizar os olhares indomados e lacrar os lábios famintos de amor.

Mas desejo e cautela raramente se misturam, e o amor, uma vez descoberto, não pode ser ocultado. A precaução não é uma cadeia para um coração que já está acorrentado pela beleza de sua amada. O que Kais poderia fazer? Sua alma era um espelho do esplendor de Laila: como ele poderia guardar esse reflexo para si? Ela brilhava nele como um sol do meio-dia num céu sem nuvens. Como tamanha luz poderia ser encoberta? Como ele poderia se voltar, até mesmo por um segundo, contra a única coisa que dera significado à sua vida? O coração de Kais estava fora de compasso, e com razão. Porém, quanto mais tentava esconder seu amor por Laila, mais falhava no seu intento. Com ela, ele podia perceber as setas da censura de mil arcos; sem ela, a dor da separação cortava seu coração como um cutelo.

Kais não podia ver saída para a situação, e a confusão desabou sobre ele. Tendo perdido a coragem, perdeu também a cabeça. Tudo o que podia fazer era vagar sem rumo, numa espécie de transe, exaltando a beleza de Laila e louvando suas virtudes para todos os que encontrava. Quanto mais as pessoas viam e ouviam o que ele tinha a dizer, mais louco ele parecia e mais estranho se tornava seu comportamento. E, em todos os lugares, lá estavam os olhares fixos e os dedos que apontavam, junto com o riso e o menosprezo, os gritos: "Aí vem o louco, o *majnun*!"

Para o povo de Laila, a situação ficou totalmente intolerável. A honra da menina e de toda a tribo estava em jogo. Era justo que tivessem a integridade questionada e o nome enodoado por esse garoto demente de Banu Amir? Era correto que a reputação de Laila fosse denegrida? Eles tinham de agir, e rapidamente. A primeira coisa que fizeram foi proibir Laila de deixar a tenda. Um guarda foi postado à entrada, com ordens para prender Kais caso ele tentasse se aproximar da menina. Assim fazendo, o povo de Laila escondia a lua nova do cão que ladra.

E não havia nada que Laila pudesse dizer ou fazer para evitar a situação. Além disso, teve de ocultar o seu pesar — pesar que ameaçou partir seu coração ao meio. Somente quando estava sozinha deixava cair a máscara e derramava lágrimas solitárias.

4

A separação de Kais e Laila provocou a separação do menino do resto daqueles a quem amava — família e amigos, pais e casa. E se Laila lamentava em segredo, Kais lamentava abertamente, exibindo suas mágoas para o mundo todo ver.

Ele vagava sem destino pelo mercado onde os comerciantes tinham suas barracas, falando a esmo, guiado por nada exceto seu coração ferido, indiferente às pessoas que o fitavam, apontando-o. E ele vagou de barraca em barraca, de tenda em tenda, assombrando a todos, com canções de amor nos lábios e lágrimas de separação nos olhos. Os passantes gritavam: "Lá vai o *majnun*, o louco. Ei, Majnun!"

A concha de sua essência havia-se quebrado e revelado sua alma em toda nudez. Ele estava aberto, exposto, seus sentimentos mais íntimos e suas emoções jaziam despidos. Havia perdido não só Laila, mas a si mesmo. A dor em seu coração estava refletida em sua face. Ele ardia como fogo, e isso estava evidente para todos. Kais, um dos feridos que caminhava e falava. Kais, o perdido, o esquecido. Kais, o órfão do destino.

Quanto mais o sofrimento perdurava, mais Kais se transformava no que as pessoas já o estavam chamando: Majnun, o "louco". Não é loucura consumir-se todo como uma vela? Não é loucura essa incapacidade de comer ou de dormir? Por mais que ele tivesse procurado a cura, pior se tornava a sua dor. E a cada dia, ao entardecer, os fantasmas de suas vãs aspirações e de suas ambições faziam com que ele andasse até o extremo da cidade e expulsavam-no para o deserto, descalço e sem sequer um manto para lançar ao redor dos ombros.

Ele estava louco, é verdade, mas também era um poeta. E a separação de Laila — uma separação que o tornara escravo dela — motivou-o a compor as mais lindas odes e os mais lindos sonetos em nome dela, versos que aqueles que tiveram a sorte de ouvir jamais tinham escutado iguais. E no silêncio da noite ele cobria-se com o manto da escuridão e ia furtivamente à tenda de Laila. Às vezes, outros acompanhavam-no — os amigos que, como Majnun, tinham provado o amor e conhecido a dor da separação —, mas em geral ia só. Movendo-se como o vento do deserto, ele voava à tenda de Laila, detendo-se no umbral, rezando uma oração silenciosa e retornando para casa tão depressa quanto havia vindo.

Tão perto, contudo tão longe. Como era difícil para ele manter-se longe da tenda de sua amada e voltar para casa depois! No caminho até ela, ele quase voava; no caminho de volta, tropeçava e cambaleava como um bêbado ou um animal ferido. Por que o Destino era tão cruel? O coração de Kais tinha se destroçado como um navio pego por uma tempestade; e o que restava dele agora vagava ao sabor das ondas. Sua casa tinha-se tornado uma prisão onde as pessoas falavam, mas nunca ouviam; onde as pessoas o aconselhavam, mas nunca entendiam. Ele tinha alcançado um ponto em que já não prestava mais atenção ao que lhe diziam; não se importava mais. Agora, só a palavra "Laila" significava alguma coisa para ele. Quando as pessoas falavam de outras coisas, ele fechava os ouvidos e nada dizia.

Num dia ele caminhava errante como se estivesse em transe; no outro, encontravam-no caído como um bêbado, chorando lágrimas amargas e gemendo. Versos de amor fluíam de seus lábios. E quando a poesia cessou começaram as mensagens. Ele invocou o vento oriental e pediulhe que levasse uma mensagem a Laila, cuja tribo havia montado acampamento nas montanhas do Najd.

"Vento Oriental, vá depressa, vá encontrá-la", ele disse. "Acaricie seu cabelo suavemente e sussurre em seu ouvido. Diga: aquele que sacrificou tudo por você manda-lhe lembranças de longe. Envie a ele um suspiro pelo vento e deixe-o saber que você ainda pensa nele.

"Minha querida, se eu não tivesse entregado minha alma a você, teria sido melhor desistir e perdê-la para sempre. Estou queimando no fogo da paixão. Estou me afogando nas lágrimas do meu sofrimento. Até mesmo o sol que ilumina o mundo pode sentir o desejo em meu coração. Eu sou a mariposa que voa pela noite para tremular ao redor da chama da vela. Ó, vela invisível de minha alma, não me torture quando eu me aproximo de você! Você me encantou, você me roubou o sono, a razão, a saúde.

"Você é a causa de minha dor. Mas o amor que sinto por você é meu único consolo, minha cura. Que estranho, uma cura que traz até dor maior! Se você pudesse mandar-me apenas um sinal! Se o vento pudesse tocar seus lábios e conseguisse trazer seus beijos para mim... Mas eu ficaria com ciúme do vento e envergonhado de pedir isso a ele.

"O Mau-olhado nos separou, minha querida. O Destino lançou o seu feitiço do mal e derrubou o cálice de minha mão: o vinho se foi, e estou morrendo de sede. E agora o Destino escarnece de mim como se eu estivesse morrendo. Sim, sou um desses amaldiçoados pelo Mau-olhado, pelo Destino, ou o nome que você preferir. Quem não sentiria medo de um inimigo desses? As pessoas tentam se proteger do Mau-olhado usando amuletos azuis. Até mesmo o sol, com medo da escuridão, usa um véu azul-celeste para se proteger do mal. Eu não usei um amuleto e, assim, perdi tudo. Sim, tudo. Perdi tudo porque perdi você, porque você é meu tudo. Se isso não é obra do Destino, é obra de quem? E se é obra do Destino, então tenho todo o direito de ter medo. E de estar louco..."

5

O novo amanhecer lançou seu manto de ouro sobre a terra, fixou o botão dourado do sol na orelha do céu e baniu as estrelas com um olhar.

Então Majnun apareceu, com seus amigos ao lado, perto da tenda de sua amada Laila. Ele estava se arriscando demais. Nunca antes havia se aventurado sem a proteção do véu da noite. Mas sua paciência havia se esgotado, e ele não poderia suportar essa situação por muito tempo. Seu coração estava se despedaçando, por Laila. Antes de ser completamente destruído, teria de vê-la. Como um bêbado, com a mente confusa, cambaleou até a tenda, com versos de amor jorrando de seus lábios.

E de repente ele estava lá, no umbral mais sagrado de seu coração. Teve de esfregar os olhos para ter certeza de que não estava sonhando. E lá estava ela — a tenda de Laila —, e, para seu espanto, as cortinas estavam abertas. E sentada na entrada da barraca, claramente visível à meia-luz, estava a própria Laila.

Majnun deixou escapar um gemido profundo, como se fosse desfalecer. E então Laila o viu. Durante um segundo que pareceu uma eternidade, seus olhos se encontraram, e no espelho de seus olhares eles leram toda a história de seus desejos, seu medo, sua dor e seu amor. Com os olhos cheios de lágrimas, eles se falaram com uma eloqüência muda e trocaram suspiros através da brisa, que agiu como mensageira.

Laila era o esplendor do amanhecer; Majnun era uma vela que se consumia lentamente pelo desejo por ela. Laila, em sua glória, era uma rosa de jardim; Majnun, um poço de saudade. Laila espalhou as sementes do amor; Majnun regou-as com suas lágrimas. Laila era um espírito de beleza de outro mundo; Majnun, a tocha ardente que iluminou o caminho dela, na travessia daquele mundo para o mundo dos homens. Laila era um jasmim na primavera; Majnun, uma planície de outono onde não florescem jasmins. Laila poderia encantar o mundo com um olhar; Majnun era seu escravo, um místico enfeitiçado rodopiando sem controle ao seu redor. Laila possuía o cálice que guardava o vinho do amor; Majnun estava intoxicado por esse odor almiscarado.

Somente esses breves encontros eram permitidos aos amantes, e até mesmo isso se acabou. Apenas mais um segundo, e o mais passageiro dos prazeres poderia ter terminado em desastre para ambos. Temendo ser apanhado pelos guardas ou espiões, Majnun fugiu.

6

Em pouco tempo as visitas furtivas de Majnun à tenda de Laila tornaram-se do conhecimento de todos. As pessoas da tribo da moça ficaram enfurecidas e, noite e dia, guardaram a área ao redor da barraca, para evitar o retorno do intruso. Aos poucos, sem ter cometido falta alguma, Laila tornou-se prisioneira de sua própria gente... e do amor de Majnun.

Majnun continuou vagando pelas montanhas e pelos vastos desertos de Najd, passando cada vez mais tempo longe de sua própria família. Vestindo apenas verdadeiros andrajos, vagou sem direção pelo deserto e compôs odes e sonetos que cantou em tons de lamento para si próprio. Arrasado pelo pesar, não conseguia pensar em nada além de seu amor por Laila: comida, sono, família, amigos — agora tudo parecia nunca ter existido para seu coração ferido. Os dois ou três amigos que o acompanhavam nas visitas noturnas à tenda de Laila há muito haviam-no abandonado. Incapazes de suportar as mudanças no temperamento selvagem de Majnun, eles também passaram a vê-lo como um louco, um demente em tudo desorientado pelo amor. Aqueles que o avistavam de longe apontavam para ele e gritavam, "Lá está ele! Lá vai Majnun, o louco, o lunático que uma vez foi conhecido como Kais! Lá vai o tolo que acumulou vergonha e desonra sobre si próprio e sobre sua tribo."

E era verdade: não havia um único membro da tribo dele que não se sentisse envergonhado do comportamento de Majnun. Eles haviam feito tudo o que estava ao seu alcance para que o jovem voltasse à razão, tentando impedir que um desastre acontecesse. Mas como alguém pode apagar um fogo ardente apenas com avisos e bons conselhos? Como represar um oceano de lágrimas com meras palavras? No entanto, embora tivessem esgotado todas as possibilidades, as pessoas da tribo de Majnun sabiam que a situação não poderia continuar como estava. A própria sanidade de Majnun, a reputação de sua família, a honra da tribo toda — tudo isso agora estava em risco. Poderia o pai de Majnun, o *sayyid*, fazer algo a esse respeito? Afinal de contas, ele era o líder de Banu Amir, e se alguém estava em posição de fazer algo positivo essa pessoa certamente era ele.

Mas o *sayyid* como todos ao seu redor, estava completamente impotente para ajudar. Quem pode fazer o tempo retroceder e mudar o curso do destino? Além disso, ele já estava velho, com o fardo dos anos exacerbado pela tensão da loucura do filho. A única coisa que poderia fazer era rezar para que Majnun voltasse à razão e se tornasse Kais novamente.

Mas as condições de seu filho não melhoravam, e Majnun permaneceu Majnun. Realmente, seu estado ia de mal a pior — tão infeliz que isso fez com que o pai convocasse os anciãos da tribo para discutir o problema e tentar chegar a uma solução final. Reunido em sua tenda com todos os conselheiros e consultores, o velho *sayyid* pediu aos presentes que contassem o que sabiam. Um a um, eles foram narrando suas histórias sobre Kais (Majnun) e sua loucura. Cada narrativa era mais horripilante que a anterior. O coração do velho *sayyid* ficava a cada momento mais entristecido com o desenrolar das histórias. Finalmente, depois de ter refletido sobre tudo o que ouvira, ele disse: "Está claro que meu filho perdeu a razão e entregou seu coração, sua alma e sua mente a essa menina. Ele só voltará ao seu estado normal se ficar com ela. Somente se conseguir satisfazer o desejo de seu coração deixará de ser Majnun e se tornará Kais novamente. Essa é uma situação dolorosa, mas não é difícil de compreender. Os pensamentos do menino estão confusos. Para ele, Laila é a luz que ilumina seu mundo. Uma vez que a luz está escondida de sua visão, ele vive na escuridão, como um cego. Digo que temos de encontrar essa luz, essa jóia de brilho penetrante, e entregá-la a ele. A roseira só irá florescer se alguém arrancar as ervas à sua volta."

Então o velho pediu a todos os anciãos da tribo que expressassem suas opiniões. Era incrível, mas estavam todos de acordo: uma delegação seria despachada imediatamente à tribo de Laila, para pedir a mão da moça para Majnun e, assim, pôr um fim ao sofrimento do rapaz. Dentro de uma hora uma comissão de anciãos tribais, liderados pelo velho *sayyid*, já estava a caminho.

Como não havia nenhum caso de rixa entre as duas tribos, o *sayyid* estava confiante de que o resultado seria favorável ao filho. E de fato ele e seus homens foram recebidos cordialmente pela tribo de Laila, que tratou os visitantes com grande generosidade e hospitalidade. Então os anfitriões pediram que o velho *sayyid* contasse por que tinha vindo. Estaria ele necessitando de algum tipo de ajuda? Precisaria do apoio deles em alguma batalha motivada por inimizade tradicional entre famílias? O velho *sayyid* limpou a garganta e fitou o pai de Laila nos olhos.

"Nobre senhor", começou o velho *sayyid*, "eu vim aqui para fortalecer os laços de amizade que sempre existiram entre nós. Vim aqui para pedir a mão de sua filha em nome de meu filho Kais. Talvez eles sejam a luz da vida um do outro! Não há amor maior do que o existente entre nossos filhos, e não vejo impedimento algum — exceto por sua possível recusa — para a união dos dois. Tampouco estou envergonhado de fazer esse pedido tão aberta, tão francamente. Como o senhor sabe, não há entre nós alguém que esteja acima de mim nessa sociedade. Minha riqueza não tem paralelo e meus partidários são incontáveis. Posso ser o mais valioso amigo ou o mais formidável inimigo. Tudo o que o senhor exigir como dote eu lhe darei — e muito mais. Não sou um homem afeito a cerimônias. Vim aqui como um negociante, e o senhor, se sabe o que é bom para o senhor — e não tenho dúvida de que sabe —, estabelecerá claramente seu preço e me venderá o que eu quero. O senhor está prestes a obter grandes lucros se for adiante agora. Amanhã pode ser tarde demais."

A ansiedade que tinha para resolver o problema do filho fizera o velho *sayyid* ser mais objetivo na forma de aproximação e na maneira de falar, mas o que havia sido dito não podia ser desdito. O pai de Laila, um homem no auge de seu orgulho, acenou lentamente com a cabeça e respondeu: "O senhor fala bem, meu amigo, e suas palavras são fortes o bastante. Mas apenas com palavras não pode mudar o que foi decretado pelo Destino. O senhor realmente imaginou que eu seria levado a aceitar seu pedido pela força de sua retórica? Realmente pensou que eu não veria além da superfície de sua eloqüência? O que o senhor me mostrou é bastante atraente, mas, na verdade, o que se esconde por trás dessa cobertura, aquilo que faria a felicidade de meus inimigos, o senhor não mencionou! Sim, realmente, seu filho é um príncipe dos homens, um verdadeiro ídolo do amor — mas de longe. E de longe ele seria bem-vindo até mesmo na família do próprio califa. Mas todos nós sabemos que não é bem isso. O senhor pensa que eu estou tão fora do mundo que as notícias do exterior não chegam até aqui? Não percebe que a história da loucura de seu filho é conhecida ao redor da terra? E realmente acreditou que eu iria aceitar um louco como genro? Porque, juro por Deus, ele está louco, e um louco não é o marido ideal para a minha filha.

"Assim, meu querido amigo, tenho de lhe pedir que parta. Meu conselho é esse: reze a Nosso Senhor para que seu filho se cure da enfermidade. Enquanto ele não estiver curado, não ouvirei palavra alguma sobre amor ou matrimônio entre ele e minha filha. Espero, querido amigo, ter sido bem claro."

O velho *sayyid* não teve opção a não ser retirar seu pedido e partir. Mas não engoliu facilmente a derrota, e as palavras ditas pelo pai de Laila picaram-no como um enxame de abelhas. Mas o que poderia fazer? E assim, retornou para Majnun, silencioso e de mãos vazias.

7

Não tendo obtido a mão de Laila para o filho, o velho *sayyid* solicitou a ajuda dos amigos de Majnun, na última tentativa para fazer o rapaz voltar à razão, com palavras de alerta e bons conse- lhos.

Os amigos de Majnun chamaram-no e suavemente argumentaram com ele. "Por que Laila?", eles disseram. "Há tantas moças em sua própria tribo que são tão desejáveis quanto Laila, que possuem um perfume doce e as maçãs do rosto rosadas como as tulipas, belezas que talvez sejam até mesmo mais atraentes que aquela que roubou seu coração! Nós conhecemos centenas dessas doces donzelas — você só tem de fazer sua escolha! Venha agora, em vez de torturar seu pobre coração e transformá-lo num santuário para aquela que você não pode ter. Encontre alguém que irá confortá-lo e enchê-lo de alegria! Escolha uma companheira de sua própria tribo, uma companheira que será merecedora de você para a vida toda. Esqueça Laila. Deixe-a em paz!"

Majnun sabia que seus amigos queriam o seu bem, mas, pensava, eles não tinham idéia de como era intenso o fogo do amor que ele sentia por Laila: os que nunca experimentaram essa dor não podem entender isso, quanto mais dar conselhos contra a dor. Realmente, em vez de extinguir a chama, as palavras deles serviram somente para aumentá-la. E quando terminaram de dar seus conselhos o incêndio ardia com mais ímpeto que antes...

O desespero de Majnun agora era mais profundo do que nunca. Não havia nada que alguém pudesse dizer para consolá-lo; não havia ninguém que pudesse fazer algo para aliviar sua dor, uma dor que escurecera seus dias e transformara seu mundo numa noite perpétua. Ele não conseguia comer nem dormir: na maior parte do tempo, vagava num torpor, e às vezes tinha consciência o bastante de sua dor para esmurrar a própria face com os punhos e rasgar as vestes. Majnun era uma pessoa sem abrigo, um exilado da terra da felicidade e um queixoso inconsolável na terra da dor.

Por fim Majnun sentiu que não poderia suportar a companhia das outras pessoas por muito tempo. E assim deixou os pais, os parentes e os amigos e fugiu para as profundezas do deserto, andando sem rumo. Ele gritava: "Não há poder algum a não ser o poder de Deus", e cambaleava pelas aléias, passava pelas barracas do mercado, desejando a piedade de Deus e a solidão do deserto.

Para Majnun, o bom e o mau já não se distinguiam; o que era certo e o que era errado já não podia ser reconhecido. Ele era um amante, e o amor não conhece lei alguma. E assim correu, com as lágrimas jorrando dos olhos, e o grito de "Laila, Laila!" nos lábios. Correu tanto que não prestou atenção alguma aos olhares fixos e aos dedos que apontavam em sua direção enquanto corria; não viu as pessoas, nem mesmo ouviu seus gritos e suas censuras. Aos poucos elas começaram a segui-lo, fascinadas e magnetizadas pela sua aparência bizarra e pelo seu comportamento estranho, embora, em seu estado de transe, ele não lhes desse atenção. Mas, quando começou a recitar seus poemas e a cantar seus versos de amor, o interesse puramente lascivo que tinham por Majnun — como por um espetáculo sem brilho — mudou, e as pessoas começaram a simpatizar com ele. O fogo no coração de Majnun tinha tocado o coração delas também, e ele fez tremer, com seus inesquecíveis sonetos e as lindas odes que saíam de sua boca, os corações de seus ouvintes, e muitos deles começaram a chorar junto com ele.

Mas Majnun não reparava em nada disso; ele sequer percebia que estava sendo seguido. Não notava nem a si próprio: era como se tivesse deixado de existir, como se seu nome tivesse sido apagado do Livro da

Criação, fazendo com que fosse esquecido. Seu coração foi esmagado, sua vontade de viver se foi, o pássaro de sua alma perdera a vontade de viver e agora jazia, debatendo-se desamparadamente no pó, esperando ser colhido pela morte.

Enfim ele sentiu toda sua força esvair-se para fora de seus membros e caiu de joelhos, como em oração. Com os lábios crestados, clamou: "Pela Graça de Deus, quem pode me curar desta doença? Sou um exilado, um órfão, um desterrado. Onde está minha casa? Onde estão meus amigos, minha família? Estou completamente afastado deles, e eles tampouco têm um caminho para me encontrar. E estou separado daquela a quem amo. Meu nome está sujo e minha reputação, arruinada, como um cálice de cristal esfacelado pela rocha do Destino. Antes meu mundo estava repleto da música da felicidade; agora, tudo que eu ouço é o rufar solene dos tambores anunciando a separação.

"Laila, meu amor, minha adorada! Sou seu escravo, sua vítima. Sou o caçador capturado pela caça! Minha alma não pode me ajudar, mas segue a mulher amada à qual ela pertence. Se ela diz, 'Beba o vinho do amor e embriague-se!', então tenho de obedecer. Se ela diz, 'Fique louco de desejo!', quem sou eu para discutir? Não há como domesticar um louco como Majnun. Sendo assim, não tentem! Que esperança pode existir para um coração tão dilacerado quanto o meu? Minha única esperança é que a terra se abra e me trague inteiro, ou que um raio flameje pelos céus e me golpeie mortalmente! Existirá alguém capaz de me salvar dessa loucura? Porque eu estou verdadeiramente enlouquecido. Sou uma afronta, um lunático, um demônio disfarçado de humano! Eu sou um vexame para a minha família e um espinho na carne de minha tribo: a simples menção de meu nome faz baixar de vergonha a cabeça daqueles que me conhecem. Qualquer um pode derramar meu sangue: declaro isso legítimo para qualquer um. Porque sou um bandido, e quem me matar não será culpado de assassinato.

"Assim, adeus, queridos amigos, porque tenho de partir. Que Deus possa abençoá-los e protegê-los, e que vocês possam me perdoar. Não há nada que possam fazer por mim agora: o cálice caiu de minhas mãos, e o vinho foi derramado. De minha felicidade e de minha saúde só restam os estilhaços da navalha; vejam como me cortam por dentro e me atravessam!"

As pessoas que o cercavam olharam-no sem crer no que ele falava, assombrados por Majnun ter prestado atenção à presença delas. Então, como para banir as dúvidas, ele voltou-se para elas e disse: "Eu não espero que vocês entendam o que eu digo, porque vocês não fazem a menor idéia de como eu sofro. Assim, deixem-me, deixem que eu parta. E não tentem me encontrar, pois a busca será vã. Como poderão me encontrar se eu estou perdido até de mim mesmo? Agora vão, porque não posso mais suportar a tortura e a opressão. Deixem-me só com o meu pesar. Não é necessário escoltar-me até o limite da cidade, porque estou indo por vontade própria. Adeus!"

Porém Majnun já não tinha mais forças para se mover. Então, ainda de joelhos, começou a implorar a ajuda de sua amada.

"Laila, eu fracassei. Fracassei e não sei o que fazer. Venha, minha amada, e tome a minha mão. Venha até aqui e toque-me, porque não posso mais agüentar a solidão. Eu lhe pertenço, então venha e me leve. Sou mais útil para você vivo do que morto. Seja gentil e me dê algum sinal, mande um sinal que reacenda a minha alma. Por que você não vem? Por que eles aprisionaram você, quando sou eu o louco que deveria estar preso? Venha e me escravize, meu amor! Faça alguma coisa, pelo amor de Deus! Viver desse jeito é pior que a morte: venha e acabe já com essa tortura! As coisas não podem ficar como estão. Não é justo que você fique aí, sem fazer nada. Você não tem piedade? Não, parece que você não tem. E depois, os que têm conforto não sentem nada por aqueles que estão na miséria. O que sabem os ricos sobre a pobreza? O que fazem os que estão saciados pelos que morrem de fome? Ambos somos seres humanos: nossa humanidade em comum não quer dizer nada para você? Você fica feliz em desabrochar e florescer enquanto eu murcho e morro?

"Você tem o poder de trazer paz à minha alma, mas você não usa esse poder. O que fiz para merecer isso? Por que, não satisfeita em roubar meu coração, você rouba minha sanidade? Além do fato de amá-la, que pecado cometi para ser tratado assim?

"Não estou pedindo muito: pedirei só uma noite — uma em mil noites. Não tenho nada além do amor que sinto por você: abandonei tudo, joguei tudo fora e tudo perdi.

"Por favor, eu lhe imploro, não me rejeite. Se você está brava comigo, abrande sua ira com minhas lágrimas. Ó, meu coração, você é a lua nova e eu sou uma estrela que caiu na terra por desejar você. Eu estou só e sem amigos: meu único companheiro é minha sombra, e mesmo com ela eu não ouso falar a verdade sobre meu amor por você, para que ela não fique enciumada e tente roubar você de mim. O que posso fazer? Posso ter esperança? Um homem que está morrendo de sede sonha com uma fonte de água fresca, mas quando ele desperta só existe areia. Mas o que significa tudo isso? Nada do que acontecer comigo pode destruir o amor que sinto por você em meu coração. Isso é realmente um mistério, um enigma, uma fechadura sem chave, um livro que não pode ser aberto, um código que ninguém decifra. O amor por você é parte de mim. Entrou em minhas veias junto com o leite do seio de minha mãe, e só irá me deixar quando minha alma partir de meu corpo. Tenho certeza disso."

Assim que sua voz se calou, os joelhos de Majnun fraquejaram, e ele desabou no pó. Todos os que o ouviam apressaram-se em ajudá-lo. Levantaram-no com suavidade e levaram-no para casa, para a tenda do pai.

O tempo passa, mas permanece o amor verdadeiro. A maior parte da vida nesse mundo nada mais é do que uma seqüência de ilusões e desenganos. Mas o verdadeiro amor é genuíno, e as chamas que o alimentam sempre queimam, sem fim e sem começo. E assim Majnun ficou famoso por toda a terra como um amante, pelo fogo do verdadeiro amor que queimaria em sua alma como uma tocha ardente, enquanto ele vivesse.

8

A paixão de Majnun crescia a cada dia que passava, e conforme ela crescia, declinava sua fama entre a família e os amigos.

Mas seus parentes mais próximos, sobretudo o querido pai, o velho *sayyid*, não tinham perdido totalmente as esperanças. Eles sabiam que a hora mais escura é sempre antes do alvorecer, e que com carinho e paciência ainda se poderia salvar o menino. Mais uma vez o velho *sayyid* pediu uma reunião dos anciãos tribais para discutir o problema do filho. Depois de muito debate, os pensamentos daqueles que estavam presentes voltaram-se para Meca e para a casa mais santa de Deus, o Ka'ba. Todos os anos muitos milhares de andarilhos, de perto e de longe, visitam o lugar sagrado, fazendo seus ritos de peregrinação e pedindo a ajuda e o perdão de Deus. Por que não levar Majnun a Meca também?

"Afinal", disse um dos anciãos, "só Deus pode abrir a fechadura para a qual nós, impotentes seres humanos, não temos a chave. Talvez Ele, em Sua compaixão, venha em nossa ajuda e cure esse pobre miserável de sua aflição. O Ka'ba é também lugar de oração e contemplação para homens e anjos. É o altar dos céus e da terra em que todos os homens pedem que Deus os ajude e os perdoe. Por que Ele não nos ajudaria?"

O pai de Majnun concordou, e, no primeiro dia do último mês do ano — o mês de peregrinação —, com uma pequena caravana com os melhores camelos, ele partiu para a cidade santa de Meca. Majnun, ainda muito fraco para caminhar, foi carregado numa liteira, como uma frágil criança num berço.

Finalmente eles alcançaram Meca e montaram acampamento. Como já fizera ao longo da jornada, o velho *sayyid*, por caridade, fez chover ouro como se fosse areia sobre a multidão. O coração dele, tão oprimido pelo desespero, iluminou-se assim que pôde vislumbrar o Ka'ba cercado por milhares de peregrinos vestidos de branco, circulando como mariposas ao redor de uma chama. Mal podia esperar pelo instante em que apresentaria ao Senhor o filho devastado pela loucura do amor, pedindo humildemente a Sua ajuda.

Enfim chegou o momento de executarem-se os ritos. Tomando o filho com suavidade pela mão, o velho *sayyid* disse: "Esta, meu filho, é a casa Daquele que é amigo de todos os que não têm amigos. Esta é a casa Daquele que pode curar todas as aflições, até mesmo as que não têm cura. Sim, meu filho, aqui é o lugar — se Deus quiser — no qual um capítulo de sua vida termina, e outro começa. Viemos aqui para você buscar consolo em Deus e encontrar alívio para seus sofrimentos. Chame Deus pelos nomes mais bonitos e peça que o ajude. Peça que o salve de sua obsessão. Peça que tenha pena de você, que lhe conceda abrigo e conduza-o de volta ao caminho da saúde e da bondade. Conte ao Senhor como você é infeliz, peça-lhe que destranque a porta de seu pesar e deixe essa dor ir embora. Peça-lhe que livre você do mal desse desejo antes que seja muito tarde. Vá, meu filho, e faça como eu digo."

No princípio, as palavras do velho *sayyid* trouxeram lágrimas aos olhos de seu filho. Mas depois Majnun começou a rir. Saltando da liteira, arremeteu-se entre a multidão e, serpenteando em meio às pessoas que se comprimiam, encontrou um caminho para o Ka'ba, no qual começou a bater com os punhos. Então, com uma voz que pairou entre o riso e as lágrimas, ele clamou: "Sim, sou eu que vim bater à Vossa porta hoje! Eu, Majnun, o louco, o tolo que vendeu a vida por amor! E que talvez para sempre permaneça escravo do amor!

"Ó Senhor! Eles dizem que só vou recuperar minha saúde se eu abandonar o amor, mas a verdade é que o amor é tudo o que tenho! O amor é minha força, meu alicerce. Se o amor morre, então morro com ele.

Tal é meu destino, como o Senhor sabe. Ó Senhor, eu imploro, por todos os Vossos nomes e atributos, deixai o meu amor crescer! Deixai-o florescer à perfeição e durar, mesmo que eu feneça e morra! Deixai-me beber da fonte do amor até minha sede se extinguir. E se já estou embriagado com o vinho do amor, deixai-me mais embriagado ainda!

"Ó Senhor! Eles dizem-me para banir Laila de meus pensamentos e esmagar o desejo que tenho por ela em meu coração. Mas eu imploro, ó Senhor, gravai a imagem dela mais profundamente na minha lembrança e fazei meu desejo por ela ainda mais forte! Levai o que resta de minha existência terrena e oferecei isso a ela como um presente. Tirai de mim o resto de minha vida e acrescentai à dela.

"Ó Senhor! Deixai que ela me repreenda, que me castigue, que me puna — eu não me importo. Estou pronto a sacrificar minha vida pela beleza dela. Não vedes como eu queimo por ela? E, embora saiba que nunca estarei livre dessa dor, isso não importa. Pois é assim que deve ser. E assim, querido Deus, para Vossa própria causa e pela causa do amor, deixai meu amor crescer mais forte a cada hora. O amor é tudo o que eu tenho, tudo o que sou e tudo o que sempre quero ser!"

O velho *sayyid* escutou assombrado Majnun clamar ao seu Senhor. O que poderia fazer agora pelo filho? Tinha falhado o último recurso — a peregrinação até a própria casa de Deus. Ele soube então, sem dúvida alguma, que não havia nada que qualquer um na terra pudesse fazer para soltar as correntes do amor que estavam amarrando o coração do menino.

E assim eles deixaram Meca e começaram a longa jornada de volta para casa, onde os amigos e parentes de Majnun aguardavam-no com esperança e medo. Quando chegaram, a família inteira correu para dar-lhes as boas-vindas. "Como foi?", todos perguntaram. "Conte-nos, Deus curou o jovem de sua aflição, ou não?"

O velho *sayyid* conseguiu apenas balançar a cabeça, com lágrimas turvando sua visão. "Eu tentei de tudo", ele disse debilmente. "Eu mostrei-lhe como pedir ajuda a Deus, de forma que Ele, em Sua compaixão, pudesse livrar o menino dessa praga em forma de mulher, dessa Laila amaldiçoada. Mas Majnun teve outras idéias. E então, o que fez ele? Pediu bênçãos para Laila, e então... amaldiçoou-se."

9

As notícias da peregrinação de Majnun para Meca, os murros que dera nas paredes do Ka'ba e a confissão comovida de seu amor espalharam-se por toda a parte. Logo as intrigas sobre o amor de Majnun — e sua loucura — estavam em todas as bocas. Alguns atacavam-no com palavras severas de repreensão, enquanto outros tinham pena dele e vinham em sua defesa. Alguns poucos tinham coisas boas a dizer sobre ele, enquanto muitos regozijavam-se... espalhando rumores maldosos!

Os comentários sobre Majnun chegaram até Laila também, mas havia muito pouco a fazer para defender seu apaixonado: simplesmente sentou-se em silêncio, nutrindo seu pesar. Os membros da tribo dela, porém, decidiram que precisavam agir. Então eles enviaram uma delegação ao primeiro-ministro do califa e apresentaram uma queixa contra Majnun.

"Esse lunático", disse o chefe da delegação, "esse louco, esse Majnun, tem desonrado nossa tribo com o seu comportamento. Dia e noite ele vaga ao redor do acampamento, com o cabelo imundo, todo emaranhado, as roupas em farrapos, com um grupo de vagabundos e andarilhos à sua volta. Ele ri sem motivo, chora sem razão. Gargalha, grita, dança e rodopia, salta no ar, prostra-se no pó e beija a terra. E a todo momento recita seus poemas, suas odes, canções e quadras — verso após verso após verso. Infelizmente, a poesia dele é de boa qualidade, e as pessoas guardam as canções na memória. Isso é ruim para nós e para o senhor, pois as palavras das canções são, na maior parte, uma afronta à dignidade pública e aos padrões morais da alta sociedade. Como o senhor pode ter ouvido, os versos referem-se a Laila, filha de nosso líder. O nome dela está na boca de todos os homens, mulheres e crianças dessa terra. Não é só uma afronta à decência pública, é uma mácula na honra e na dignidade de Laila. Então, pedimos que o senhor prenda esse velhaco e ponha um fim à situação, para que Laila e os membros de nossa tribo possam estar protegidos dessa mais perniciosa aflição."

Tão logo o delegado da tribo terminou de falar, o ministro levantou-se da cadeira e tirou a espada da bainha, mostrando-a para os membros da delegação. "Domem o louco com isso, se são capazes", disse ele. "E espero que consigam."

Nesse momento, as palavras do ministro foram ouvidas por um membro da tribo Banu Amir, a tribo de Majnun, que por acaso estava no tribunal naquele dia. Sem perda de tempo, ele apressou-se em contar ao velho *sayyid*, pai de Majnun, o que havia presenciado.

"A tribo de Laila está em busca do sangue de Majnun", gritou ele. "O próprio primeiro-ministro do califa sancionou a sentença. Eu estava lá quando aconteceu: o homem estava como um dragão possesso, cuspindo fogo e proferindo ameaças. Temos de advertir Majnun antes que seja tarde demais. Um poço abriu-se diante dele. A menos que consigamos tirar a venda de seus olhos, ele irá cair e se perder para sempre."

As palavras do informante trespassaram o coração do velho homem como cem flechas. Temendo pela vida do filho, enviou vários homens para procurar Majnun e trazê-lo em segurança. Mas um a um eles voltaram, de mãos vazias e desanimados. "Majnun não está em lugar algum em que possa ser encontrado", eles disseram, "e nós tememos que o destino dele já esteja selado. Talvez tenha sido devorado por animais selvagens, quem pode saber?" Então, os amigos e parentes de Majnun começaram a chorar e a se lamuriar, como se estivessem pranteando um morto.

Mas Majnun não estava morto. Encontrava-se em segurança — por enquanto — numa das montanhas mais retiradas. Estava bastante só. Como o Criador, antes do primeiro ato da criação, Majnun era um "tesouro escondido, esperando ser descoberto". Não tinha idéia alguma do que estava acontecendo no mundo dos homens. Para ele, realmente, aquele mundo todo havia deixado de existir. Por que ele deveria se preocupar? Não tinha abandonado, desistido, virado as costas para aquele mundo? Tinha dificuldades suficientes sozinho, tinha privações e sofrimentos o bastante para preencher mil mundos como aquele — então, por que deveria se preocupar com o mundo que deixara para trás? Como poderiam ajudá-lo? Ele estava sofrendo porque era incapaz de alcançar o tesouro pelo qual renunciara à sua vida. De que adiantariam família e amigos num momento como aquele?

Mas Majnun não continuaria só e escondido. Vários dias depois do pedido ao ministro do califa, um beduíno da tribo conhecida como Banu Saad estava atravessando a área quando viu uma figura aninhada sob um arbusto arrancado. No começo, achou que era algum tipo de miragem. Afinal, quem, em sã consciência, escolheria residir num lugar tão ermo, abandonado por Deus? Mas viu a figura mover-se e emitir um gemido. Aproximando-se cautelosamente, ele disse: "Quem é você e o que está fazendo aqui? Há alguma coisa que eu possa fazer por você?"

Ele repetiu a pergunta inúmeras vezes, mas Majnun não deu qualquer resposta. Finalmente, o beduíno desistiu e seguiu seu caminho. Tão logo alcançou seu destino, contou para sua família o que havia visto na estrada. "Era uma criatura", explicou ele, "evidentemente um louco em grande dor, contorcendo-se sob um arbusto de espinhos como uma serpente ferida. O cabelo dele era imundo e desgrenhado, as roupas não passavam de trapos sujos, e o corpo era só pele e ossos."

As notícias do encontro desse homem com Majnun finalmente alcançaram o velho *sayyid*, que quis resgatar o filho do deserto imediatamente. Quando finalmente encontrou-o, Majnun estava exatamente como o beduíno o havia descrito: pálido, magro, sujo e incoerente. Lamentava-se, levantava-se, caía novamente, gemia e, então, começava a escrever no pó. O velho homem ajoelhou-se, pôs a mão por sob a cabeça do filho e olhou em seus olhos. No princípio, Majnun não reconheceu o pai, e foi só quando o velho *sayyid* começou a falar que Majnun percebeu quem ele era e que tinha vindo em seu auxílio. E desse reconhecimento veio outra inundação de lágrimas, assim que Majnun apertou o pai contra o peito e soluçou. Então, quando a tempestade tinha amainado, ele disse: "Querido pai, perdoe-me! Não pergunte como eu estou, porque você pode ver que não restou muito de minha vida. Eu gostaria que você não tivesse me visto nesse estado. Ver sua face de anjo enquanto a minha está no pó, isso me enche de profunda vergonha, e não consigo sequer começar a descrever o que sinto. Perdoe-me, pai, mas saiba que nada disso é culpa minha. Você sabe, querido pai, a linha de meu destino repousa na mão de outra pessoa..."

10

Com a frustração nublando sua mente, o velho *sayyid* rasgou seu turbante e lançou-o ao solo em desespero. Seu mundo ruíra; seu dia virara uma noite sem fim. Ele respirou profundamente e tentou recuperar a tranqüilidade. Utilizando a última reserva de força e coragem, começou a falar: "Você uma vez foi uma flor — minha flor —, mas agora suas pétalas estão amassadas e rasgadas, e eu já não o reconheço! Olhe pra você! Você, o louco imaturo apaixonado! Quem lançou essa maldição sobre você? Que pecados você cometeu para ser forçado a cumprir tal penitência? Você está se entregando à morte. Diga-me, quem o empurrou para essa situação crítica?

"Sim, você é jovem, e as loucuras da mocidade devem ser perdoadas. Mas uma loucura desse tamanho? Isso não é a loucura — é a mais pura loucura. Você já não sofreu o bastante? Seu coração não sentiu dor o bastante? Basta! Sua paixão está destruindo você e a minha honra. Por que todo esse abandono irresponsável, essa falta de controle? Você não consegue enxergar o que está fazendo a si mesmo? Se não pode ver, então deixe-me ser seu espelho. Deixe eu lhe mostrar o que está fazendo para que você possa parar com isso. Desacorrente seu coração dessa loucura auto-infligida que se abateu sobre você!"

O velho acariciou o rosto do filho com dedos trêmulos. Então, com lágrimas nos olhos, ele prosseguiu: "Você nem mesmo vai olhar para mim. Eu não sou seu amigo? Você não tem de ficar sozinho, meu filho. Os que fogem e tentam permanecer indiferentes sempre estarão sós — sós com seu pesar. Você não tem de fugir, pelo menos enquanto houver um lugar para você em meu coração.

"Não se esqueça, nós dois somos a mesma carne e o mesmo sangue. Enquanto você está gemendo pelo seu amor, eu estou lamentando por você; enquanto você está rasgando suas vestes em desespero, meu coração está se partindo em dois. Quando você queima, eu queimo também; quando você chora, eu me afogo em suas lágrimas.

"Eu lhe imploro, desperte antes que seja tarde demais! Ainda há tempo, tenha esperança. Você nunca deve desistir da esperança. Até mesmo essas pequenas coisas aparentemente inúteis podem ajudá-lo a atingir a salvação, se ao menos você soubesse disso. E tenha fé em Deus; com fé em Deus, até mesmo o desespero pode se transformar em esperança, acredite.

"Tenha esperança e tente ser feliz! Misture-se com os que riem, faça piadas e seja feliz: não os evite! Misturando-se com os que estão contentes, você achará a felicidade também, disso estou certo. Ela virá lentamente no princípio — mas virá, acredite. A poderosa montanha não é feita de minúsculos grãos de areia? O vasto oceano não é composto de minúsculas gotas d'água? Com paciência, sua felicidade também irá crescer; e será tão grande que todas as aflições que você agora sofre serão esquecidas. Tudo o que você necessita é de tempo — tempo e paciência.

"E com tempo e paciência você irá esquecê-la. É exatamente isso — afinal, por que você dá seu coração a uma rosa que floresce sem você, enquanto você permanece na sujeira? Só um coração de pedra poderia esmagar um coração como o seu, e foi isso o que ela fez. Assim, é melhor esquecê-la.

"Meu querido filho, você é mais precioso para mim do que minha própria vida. Eu lhe imploro, volte! O que existe para você aqui nessas montanhas a não ser dor, solidão e lágrimas? Se você permanecer aqui, sua loucura irá aumentar e você estará fatalmente perdido para sempre — até mesmo para você. A espada da morte paira sobre você, como paira sobre nós todos. Você tem de recuperar o bom senso enquanto ainda há tempo. Deixe esse inferno e volte comigo. Escolha a alegria, e não o pesar, e deixe seus lamentos para os inimigos!"

11

Majnun ouviu em completo silêncio o velho *sayyid* abrir seu coração e expor toda a sua dor e as suas esperanças. Então, seguindo a trilha das palavras do pai, ele deu a sua resposta.

"Você, o mais nobre dos senhores, é o orgulho de todos os árabes e o mestre de tudo aquilo que você vê. E você é meu pai, minha carne e meu sangue, a quem eu amo com todo o meu coração e respeito com todo o meu ser. Você me deu a vida; que você nunca perca a sua vida, e que eu nunca perca você. Pai, ajoelho-me diante de você como seu escravo.

"E contudo, querido pai, você me pede que faça o impossível. Porque não escolhi o caminho em que ando: fui lançado nele. Estou aprisionado e sou conduzido por correntes de ferro; mas não fui eu que as coloquei. Se sou um escravo do amor, é porque isso foi decretado pelo Destino para que seja assim! Os laços amarrados pelo Destino não podem se desatar. Não posso arrancar essas correntes. Eu não posso me aliviar delas, a menos que o Destino me alivie primeiro. A lua nasce pelo seu próprio poder? As marés sucedem-se por sua própria vontade? Procure no cosmo e observe todos os seres vivos, da formiga ao elefante, e não encontrará criatura alguma que não seja governada pelas ordens e pelos decretos do Destino.

"Há uma pedra oprimindo meu coração. Quem pode removê-la? Eu não! Há um fogo que queima em minha alma. Quem pode apagar esse fogo? Eu não! Suporto um fardo que foi posto em meus ombros pelo Destino, e até mesmo se eu tentasse, de hoje até o dia do Juízo Final, não poderia lançar esse fardo ao chão. Você me pergunta por que eu não rio. Sou um sofredor: lágrimas de pesar são próprias de um sofredor; e não lágrimas de alegria. Que mãe conseguiria rir no enterro de seu próprio filho? Alguém na minha posição rir, estaria isso de acordo com a razão?

"Você não conhece, querido pai, a fábula da perdiz e da formiga? Então eu lhe contarei. Uma perdiz estava a procurar comida quando se encontrou com uma formiga. Prendeu uma das pernas do animalzinho em seu bico, e quando estava prestes a engolir a pequena formiga, esta gritou: 'Ei, perdiz! Se você se julga tão inteligente, deixe-me ouvi-la rir! Porque rir é uma coisa que você simplesmente não consegue fazer!' A perdiz, é claro, era um pássaro orgulhoso, e decidiu mostrar para a formiga audaciosa como ela era boa nisso. Abrindo o largo bico, começou a cacarejar. Naquele momento a formiga escapou em segurança e deixou a tola perdiz só e sem comida.

"E assim, veja, querido pai, se o homem ri quando a situação não lhe dá alegria, ele não terá melhor sorte que a perdiz. E irá viver para lamentar porque ele riu cedo demais.

"Também não tenho razão alguma para rir", disse Majnun, "nem mesmo o asno agonizante joga ao chão sua carga até que a morte o subjugue por completo: por que, então, eu deveria temer a morte? É verdade, meu querido pai, você me advertiu — mas que amante leva a sério as ameaças da morte? Um homem consumido pelo amor não treme diante da possibilidade de morrer. Um homem à procura de sua amada não tem medo do mundo e de suas armadilhas. Onde está a espada que paira sobre mim? Deixe-a cair! Laila é a única lua no céu de minha existência. Se o Destino enviou nuvens para encobrir essa lua, deixe que a terra me trague! Se minha alma caiu por causa dela, que assim seja. Pelo menos a queda foi como o próprio paraíso!

"Agora, deixe-me, eu lhe imploro. Meu espírito está destruído, minha alma perdeu-se para sempre. O que quer você de mim?"

12

Ao ouvir isso, o coração do velho homem desalentou-se, e ele começou a lamentar. Tomando o filho com suavidade pela mão, conduziu-o para casa, para a acolhida reconfortante da família. Lá, amigos e parentes se juntaram num círculo, determinados a ajudar da melhor maneira que podiam.

Mas para Majnun eles eram todos estranhos. A vida em casa era insuportável. Majnun entristeceu a todos com suas aflições, e todos os que vieram visitá-lo partiram com lágrimas de pesar e frustração diante da situação. Nos primeiros dias, os amigos estavam dispostos a acalmá-lo com as lembranças felizes da época que tinham passado juntos, quando crianças. Mas logo a enormidade de sua dor tornou-se forte demais para suportar as companhias. E assim, uma manhã bem cedo, Majnun rasgou o véu de amor e proteção que seus amigos e sua família tinham lançado sobre ele, reuniu alguns pertences e fugiu mais uma vez para as vastidões do deserto de Najd.

Como um animal ferido, vagou pelo deserto sem saber aonde ir ou o que fazer. Tudo o que sabia era que tinha de estar só; já há algum tempo não conseguia sobreviver no mundo dos homens. Tinha de estar só com seu pesar, e a terra desolada feita de areia e pedras, de montanhas e desfiladeiros, era o único lugar para ele. E assim ele vagou pelas montanhas e cantou os seus sonetos e odes. Majnun, o louco, sozinho no deserto com seus poemas. Mas embora Majnun estivesse louco, sua poesia não estava. Embora as pessoas o repreendessem, castigassem e despejassem sobre ele insulto após insulto, elas não podiam encontrar qualquer erro em seus versos.

E foi assim que as pessoas começaram a vir, de perto e de longe, para ouvi-lo recitar seus versos naquela montanha retirada. Elas se sentavam aos pés dele, e ele cantava suas canções de amor. Ao escutá-lo, as pessoas escreviam aquelas palavras e levavam-nas de volta às suas cidades e aldeias.

13

Enquanto isso, a promessa feita pelo broto estava sendo definitivamente mantida pela flor, pois Laila crescia mais bonita a cada novo dia. Um olhar dela seria o bastante para colocar cem reis de joelhos a seus pés. Um sorriso de seus lábios de rubi seria o bastante para conquistar um exército inteiro, se ela assim o desejasse.

A beleza de Laila não escapava a ninguém, e ninguém escapava de sua armadilha. Seus olhos faziam prisioneiro atrás de prisioneiro, cada qual amarrado e conduzido pelas suas tranças. Qualquer um que visse aquele rosto em flor era imediata e duramente atingido, tornava-se faminto pelo néctar dos seus lábios e pelo mel dos seus beijos. Mesmo assim, os cílios de Laila recusavam-se a fazer caridade. Seus olhos, quando se fechavam, pareciam dizer: "Só Deus pode lhe conceder o que você deseja, porque eu não lhe darei nada." Centenas de corações sucumbiram no poço de sua beleza, tão poderoso era seu feitiço.

Embora sua magia funcionasse sobre os outros, sobre ela mesma esse encanto não podia fazer nada. Enquanto ela florescia por fora, por dentro chorava lágrimas de sangue. Do amanhecer até o crepúsculo, buscava em segredo seu amado Majnun. Então, à meia-noite, quando o mundo estava surdo de sono, ela o convocava com suas visões. As lágrimas nunca estavam longe, e se ela riu foi somente para esconder o seu pesar.

Desde a separação dos dois, o fogo do desejo havia queimado nos corações dos amantes. No caso de Laila, porém, as chamas foram dissimuladas e não soltaram fumaça. Quando um homem agoniza no leito da morte, um médico muitas vezes segura um espelho diante de sua boca, para saber se ele ainda está respirando. Também Laila teve o seu espelho, e somente para o espelho ela mostrou a própria alma, que ela constantemente interrogava sobre o seu amado Majnun. Não havia nada ou ninguém mais em quem pudesse confiar, e assim, à noite, ela contava pensamentos e segredos íntimos para a própria sombra. De um lado havia o oceano de suas lágrimas; de outro, a chama furiosa de seu amor. Laila permaneceu entre eles como um *pari*, um espírito que paira entre o fogo e a água.

Embora seu sofrimento se agarrasse bem no fundo de sua alma, ela escondeu o pesar, e não o compartilhava com qualquer um. Às vezes, quando o mundo estava dormindo, a luz da lua a atraía até a entrada da tenda. Lá ela permanecia paralisada, a fitar o caminho, esperando — mas por quem? Estaria esperando algum mensageiro passar com uma palavra dele? Esperava alguém que viesse lhe dar apoio, trazendo lembranças de seu amado distante? Tudo o que ela esperou não veio. E assim ela imaginou que a brisa poderia ser a mensageira, conduzindo os suspiros de Majnun das montanhas de Najd. Cada nuvem trazendo chuva, ela imaginou ser um mensageiro de venturas, carregando as saudações de seu amante, como lágrimas do céu.

Mas a única coisa que a alcançou foram os versos do amante. Os poemas dele estavam nos lábios de todos os passantes. Até mesmo os rapazes da rua, no mercado local, recitavam-nos com suas vozes de cantores. Quer ele soubesse disso ou não, a voz de Majnun estava sendo ouvida pela única a quem ele amou, e por isso Laila ficou profundamente agradecida.

Mas a beleza de Laila não era o seu único dom, pois ela também tinha um talento para a arte poética. E assim ela guardava os versos de Majnun na memória logo que os ouvia; então, atando pérolas de sabedoria num rosário adornado de versos, ela compôs suas respostas. Escrevia essas respostas em restos de pergaminho, encabeçando-os com pequenas mensagens como "A flor de jasmim envia essa canção ao cipreste", antes de lançá-los ao vento quando ninguém estava olhando. Quem sabe esses restos de versos não seriam encontrados, e o descobridor — adivinhando seu significado oculto — perceberia por quem tinham sido enviados e os entregaria a Majnun. Para recompensar o descobridor, Majnun comporia um poema que, no devido tempo, acharia seu caminho de volta a Laila. Muitas dessas mensagens transmitiram-se entre eles desse modo, dando-lhes fé e esperança. As outras pessoas que ouviam os amantes ficavam maravilhadas com a unidade de suas vozes: elas eram tão semelhantes em tonalidade e expressão que soavam como um único canto. Porque aquelas eram as vozes do amor, e o amor é forte o suficiente para quebrar qualquer feitiço.

14

No jardim, as árvores estavam adornadas de flores sorridentes, enquanto rosas amarelas e tulipas tingidas de vermelho tremulavam como bandeiras na brisa. Violetas mergulhavam e balançavam-se em seus talos longos e encurvados, como tentando esconder-se uma da outra. A roseira apontou suas espadas de espinho em direção ao céu, pronta para a batalha, enquanto o lírio-d'água, descansando por um momento daquela refrega, lançou seu escudo no espelho cristalino do lago. O jacinto abriu os olhos, enquanto o buxo penteava os cabelos. As flores da romãzeira ansiavam pela própria fruta, enquanto os narcisos exibiam febrilmente suas carrancas, como um amante que emerge de um pesadelo. A árvore-da-judéia estava alta e orgulhosa, com suas veias cheias de seiva, estimuladas pelo sol. A rosa selvagem banhou suas folhas na fonte de prata do jasmim, enquanto a íris elevou sua lança com orgulho e determinação. E na copa plana da árvore, acima da pomba-rola que arrulhava, pousou um rouxinol, o Majnun dos pássaros, cantando suas canções de amor.

Laila entrou no jardim com suas amigas para desfrutar do canto do pássaro e brincar entre as flores como as belas virgens que adornam os jardins do paraíso. Era sua intenção, uma vez cessadas as brincadeiras, buscar repouso na sombra das rosas escarlates? Era seu desejo fazer o verde da grama mais escuro com sua própria sombra, ou elevar seu cálice na companhia do narciso e da tulipa? Ou tinha vindo ali como a vencedora, exigindo o tributo real daquele jardim magnífico?

Não, ela não pretendia nada disso. Ela queria, uma vez cessadas as brincadeiras, simplesmente sentar-se e lamentar, como aqueles cujos corações foram separados pelo amor. Ela quis conversar com o rouxinol, contar para aquele pássaro dos apaixonados seus pensamentos íntimos e seus segredos. E talvez a brisa trouxesse a palavra daquele que ela amava e pranteava.

Estava tentando achar algum consolo no jardim, porque via-o como um espelho da beleza de seu amante, e nada mais. Até mesmo acreditou que o espelho poderia mostrar-lhe o caminho para a pessoa nele refletida...

Disso tudo, é claro, as amigas não sabiam. Durante algum tempo elas brincaram entre as rosas, mas depois, quando sentaram-se num canto retirado do jardim para descansar, Laila caminhou e sentou-se sob uma árvore, longe delas. Só então pôde expressar o seu pesar.

"Meu amado", suspirou ela, "não é verdade que fomos feitos um para o outro? Como você é nobre e como é apaixonado o seu coração! Como dói pensar que nossos corações já foram um só — e agora, o punhal gelado da separação rasgou-os ao meio. Se ao menos você pudesse caminhar por esse portão e entrar no jardim... Então, meu amor, nossos corações seriam de novo um único coração! Se ao menos você pudesse sentar-se próximo a mim e olhar em meus olhos! Então, meu amor, você iria satisfazer meu desejo mais profundo. Mas talvez você já tenha sofrido tanto por minha causa, que não deseje mais ter o meu amor, ou olhar a beleza do jardim."

De repente, uma voz interrompeu os sonhos de Laila. Alguém estava passando pelo jardim, com um refrão persistente nos lábios. Era um estranho, é claro. Mas ela imediatamente reconheceu os versos de Majnun. O passante cantou:

Enquanto floresce em primavera o jardim de Laila,
Lá, agoniza e sofre Majnun.
Como pode Laila sorrir e brincar,
Enquanto o amor põe à prova Majnun?

Quando Laila ouviu essas palavras, começou a chorar lágrimas amargas e a soluçar tão profundamente que até mesmo os corações mais duros teriam se comovido. Ela não tinha a mínima idéia de que estava sendo observada, mas uma de suas amigas notara a sua ausência e a seguira. Escondendo-se atrás de uma roseira, a amiga vira tudo: a súplica apaixonada de Laila, a surpresa com os versos cantados pelo passante e as lágrimas da moça.

Dias depois, a amiga foi até a mãe de Laila e contou-lhe o que presenciara. A mãe de Laila começou a chorar também, incapaz de suportar a idéia de que sua filha sofria. Mas o que podia ela fazer? Quanto mais tentava, menos conseguia encontrar um modo de ajudar a filha. "Eu não devo deixar Laila fazer o que o coração dela mais deseja", disse para si mesma, "porque Majnun está realmente louco e não deve se aproximar dela. Tão logo eles se encontrem, Laila também irá ficar louca. Mesmo que eu aconselhe paciência, a separação pode destruí-la. E tudo o que destrói Laila também me destrói."

E assim a dor de Laila tornou-se o fardo de sua mãe, embora Laila estivesse completamente alheia a isso. Ela permaneceu calada, e o mesmo fez sua mãe.

15

Depois, naquele mesmo dia, quando voltava do jardim com os olhos inchados de chorar, Laila passou por Ibn Salam, um homem jovem da tribo conhecida como Banu Asad. Ibn Salam era um homem de renome considerável e de riqueza incontável. Respeitado por todos os que o conheciam, era um homem forte e generoso, para o qual a fortuna sempre sorrira — tanto assim que seu apelido entre os amigos íntimos era *Bakht*, Boa Sorte. Iria a sorte continuar em sua busca por Laila?

Sim, assim que Ibn Salam colocou os olhos sobre a moça, quando ela passou, soube que ela teria de lhe pertencer. Para ele, ela era a lua cheia em todo o seu esplendor — um ornato perfeito para enfeitar o céu solitário de sua alma. E assim ele decidiu pedir a mão de Laila para os pais da jovem. E por que não? Ele não possuía riquezas em abundância? Não era nobre de nascimento? Quanto mais pensava nisso, mais determinado ficava a ter aquilo que iria transformar sua noite em dia e que faria sua vida suportável. A única coisa que não levou em conta foi a própria Laila: se ela de boa vontade se entregaria a ele. Exceto isso — sem dúvida o mais importante de tudo —, ele havia pensado em tudo. A resposta de Laila era uma ponte que ele cruzaria quando ela se erguesse à sua frente.

E assim, conforme o costume árabe, Ibn Salam enviou um de seus mais confiáveis companheiros como intermediário, para pedir a mão de Laila. Ele instruiu seu mediador a fazer o pedido ao pai de Laila com muita humildade, mas, ao mesmo tempo, a deixar bastante claro que Ibn Salam estava disposto a fazer chover ouro sobre eles caso atendessem a seus desejos.

E eles concordaram — de certa forma. Perceberam que seriam tolos em recusar a oferta, mas tudo parecia tão repentino, tão definitivo! "Não há razão alguma", comentaram em particular, "para dar nossa bênção hoje quando poderemos dá-la amanhã." E assim, nem aceitaram nem rejeitaram a oferta. Preferiram fazer com que Ibn Salam esperasse um tempo.

"Claro que seus desejos serão atendidos", disseram eles, "se você for paciente. No momento, nossa filha está fraca e adoentada — ela é como uma flor tenra apanhada por uma recente geada e que precisa de tempo para crescer forte novamente. Veja como está magra e pálida! Deixe que ela se restabeleça, e então, se Deus permitir, concordaremos com a união, com o coração cheio de felicidade. O que importa se você esperar mais alguns dias."

Essa foi a palavra final que deram sobre o assunto, e Ibn Salam não teve outra opção a não ser ficar contente e esperar.

16

O desfiladeiro onde Majnun tinha decidido viver estendia-se por uma área dominada por um príncipe beduíno chamado Nowfal. Pela sua coragem e firmeza no campo de batalha, ele havia ganho o epíteto de "Destruidor de Exércitos", mas embora tivesse o coração de um leão frente aos inimigos, para os amigos ele era a própria compaixão personificada.

Um dia, Nowfal estava caçando com alguns de seus servos. Eles tinham se aventurado além do habitual dentro do deserto, atraídos pela possibilidade de apanhar alguns antílopes particularmente bonitos que vinham perseguindo de oásis em oásis. Como os animais velozes tentavam escapar, escondendo-se nas montanhas, Nowfal e seus homens cautelosamente lançaram-se contra o vento e começaram a segui-los. Justamente quando estavam para perder as esperanças de alcançar a presa, um dos caçadores viu os antílopes desaparecerem numa caverna logo acima deles. Nowfal falou para dois criados seus desmontarem e armarem-se com arcos, flechas e punhais. Outros três postaram-se sobre as pedras.

Lentamente e em silêncio os homens andaram na ponta dos pés até a caverna, certos de que dentro de minutos os antílopes seriam apanhados. Mas, quando alcançaram a entrada da caverna, uma visão estranha fez com que parassem na trilha. Os antílopes realmente estavam lá dentro; amontoavam-se na semi-escuridão, com os olhos arregalados e o pêlo eriçado de medo. Mas não estavam sós. Lá, abaixado atrás de um deles, estava uma criatura que Nowfal nunca vira antes.

A criatura estava desnuda, com os membros emagrecidos, o corpo cortado em tiras pelos espinhos e os cabelos sujos e finos caídos sobre os ombros. Era um animal ou um ser humano? Era um demônio do reino subterrâneo que vinha assombrar o mundo dos homens, ou era um *jinn* disfarçado de gente? Nowfal estava a ponto de sacar o seu punhal quando, para seu espanto, a criatura começou a chorar. Virando-se para os companheiros, Nowfal sussurrou: "Vocês têm alguma idéia de quem seja essa pobre criatura?"

"Eu ouvi falar dele", disse um dos criados, que se aproximou e continuou: "É um homem jovem que enlouqueceu de amor. Abandonou o mundo dos homens e agora vive aqui no deserto. Dia e noite ele compõe sonetos e odes para sua amada. Sempre que uma nuvem passa, ele pensa que ela traz alguma mensagem de sua amada; sempre que uma brisa sopra, ele imagina que carrega o aroma dela. E assim ele canta suas canções de amor e espera que o vento e as nuvens levem-nas de volta até a amada."

"E ele vive aqui completamente só?", perguntou Nowfal surpreso.

"As pessoas visitam-no de vez em quando", respondeu o criado. "De fato, alguns viajam grandes distâncias e suportam sofrimentos incontáveis só para vê-lo. Trazem-lhe comida e água, às vezes também lhe oferecem vinho. Porém ele come e bebe pouco — apenas o bastante para se manter vivo. E se suas visitas persuadem-no a bebericar o vinho, ele bebe tão-somente em nome de sua amada. Tudo o que ele diz ou faz é somente por ela."

Nowfal escutou atentamente. Sua simpatia por Majnun aumentava a cada minuto. Todas as intenções de caça tinham desaparecido. "Essa pobre alma confusa está necessitando de ajuda", sussurrou Nowfal, "e eu penso que seria um ato de caridade e nobreza ajudá-lo a conseguir o que seu coração deseja." E assim dizendo Nowfal mandou que seus criados apoiassem Majnun e conduzissem-no até onde os outros homens estavam esperando. Lá, ele ordenou que armassem uma tenda e que trouxessem comida do oásis mais próximo. Era hora do jantar, e Majnun era seu convidado.

O príncipe Nowfal era um homem de grande generosidade e hospitalidade, mas, nessa ocasião, parecia que seus esforços seriam vãos. Quanto mais instava seu convidado a comer e alegrar-se menos o ermitão miserável olhava para a comida. Ele não comia nada. Nowfal riu e brincou, mas quanto mais alegre ele se tornava, menos Majnun parecia entender onde estava e o que fazia ali. Nowfal tentou o quanto pode alegrá-lo, mas Majnun não respondia. A cada palavra solícita de seu anfitrião, mais ele se retraía no fundo de sua própria concha. Cansado por não extrair reação alguma de Majnun, Nowfal decidiu deixar escapulir a palavra revelada anteriormente a ele por um de seus criados, uma palavra que ele sabia que teria um efeito... a palavra "Laila".

Quando ouviu o nome de sua amada, os olhos de Majnun arregalaram-se e um sorriso iluminou sua face. "Laila!", ele murmurou amorosamente. "Minha querida e doce Laila!" E então, com hesitação, serviu-se de um pedacinho de carne e tomou um gole de vinho tinto.

Nowfal havia decifrado o enigma: tudo o que ele tinha a fazer agora era falar de Laila, louvar sua beleza, exaltar seu caráter, glorificar suas virtudes, e Majnun responderia. E responder certamente foi o que ele mais fez. Enquanto a linguagem eloqüente do príncipe beduíno teceu guirlandas de rosas com suas palavras de elogio, Majnun adicionou a elas as pérolas deslumbrantes de seus poemas. E embora os versos fossem compostos sem qualquer lapidação, eles eram tão doces quanto mel, incandescentes como ouro. Nowfal escutou com admiração. Realmente, seu convidado era um homem inculto, um reles selvagem, mas não havia dúvida alguma de que ele também era um poeta da mais alta ordem, um alquimista da língua, um inigualável mágico das palavras.

Ao final da noite, Nowfal tomara uma decisão: ele restabeleceria o espelho quebrado do coração daquele pobre homem, pedaço por pedaço. Mas isso poderia levar tempo. Dirigindo-se ao convidado, ele disse: "Você, meu amigo, é como a mariposa que tremula na escuridão, clamando pela chama da vela: tome cuidado com o que você faz; não se transforme na vela que chora lágrimas quentes enquanto se consome em seu próprio sofrimento. Por que você se rendeu? Por que abandonou toda a esperança? Eu tenho riqueza e tenho força. Confie em mim, e darei um jeito para que você receba o que o Destino decretou: Laila será sua. Prometo isso de todo o meu coração. E mesmo que ela se transformasse num pássaro e fugisse para o céu ilimitado de Deus, ou numa faísca de fogo dentro de uma pederneira embaixo da terra de Deus, eu a procuraria e a traria para você. Não descansarei até que os una em matrimônio."

Majnun lançou-se aos pés de Nowfal e louvou a Deus por enviar-lhe tão nobre benfeitor. Contudo, havia ainda uma dúvida em sua mente quando disse: "Suas palavras tranqüilizam meu coração e me dão esperança, mas como posso saber se elas não são simples palavras? Como posso estar certo de que você fará o que diz, ou, em primeiro lugar, se você realmente possui os meios necessários para fazer o que diz? Tenho de avisá-lo agora que os pais dela nunca irão dá-la a alguém como eu em matrimônio, alguém cuja loucura é inquestionável. 'O quê?', eles dirão. 'Nós abandonaríamos essa frágil flor preciosa e deixaríamos que ela fosse levada por um vendaval? Deixaríamos um louco brincar com um raio de lua? E entregaríamos nossa filha a um demônio? Nunca!' Sim, isso é o que eles dirão. Você não os conhece como eu. Outros já tentaram me ajudar no passado, mas foi em vão. Quanto mais tentaram, menos luz puderam trazer ao meu negro destino. Nada influenciaria os pais de Laila, nenhuma quantia de ouro ou prata, pomares e gado poderiam fazê-los mudar de idéia. Assim, você pode ver como o meu caso é desesperador. Só um milagre poderia me ajudar. Diga-me, você é um milagreiro? Eu acho que não. Além disso, imagino que logo irá se cansar disso e voltará atrás na metade do caminho.

"Mas eu espero que não. Minha súplica é para que você tenha sucesso. E se tiver sucesso, que Deus possa recompensá-lo. Mas se a promessa que você fez é um simples palavrório, e se o que me oferece é miragem, e não um oásis de verdade, então é melhor que fale já."

As palavras francas do jovem só serviram para aumentar a admiração de Nowfal por ele.

"Você realmente duvida de minha palavra?", perguntou Nowfal. "Então, vamos fazer um pacto. Em nome de Deus Todo-Poderoso e do

Profeta Maomé, juro que lutarei como um leão por você e pela sua causa e que sacrificarei minha vida, se for necessário.

"Juro que eu não comerei nem dormirei até que você alcance os desejos de seu coração. Mas você também tem de prometer algo: deve prometer que vai ter paciência e tolerância. Deve tentar deixar o seu modo de vida, tem de domesticar seu coração selvagem e levar isso adiante, nem que seja durante alguns dias.

"Assim, vamos fazer um acordo: você apagará o fogo que arde em seu coração. Eu, de minha parte, abrirei o portão de ferro para o seu tesouro. Você aceita essas condições?"

Majnun concordou. E assim, em troca da ajuda de seu novo amigo, ele começou a aquietar a tempestade que por tanto tempo assolara seu coração. Aos poucos, pela primeira vez em muitos meses, a paz começou a retornar à sua alma, e as feridas infligidas pelas lâminas afiadas de sua loucura começaram a cicatrizar. Como uma criança inocente, ele depositou total confiança em Nowfal. Como a tranqüilidade retornara ao seu espírito, ocorreu uma mudança em toda a sua vida. Sem fazer alvoroço, deixou a caverna e voltou com Nowfal para o acampamento deste, na fronteira da cidade.

Sob a proteção de seu novo benfeitor, Majnun já não merecia ser chamado *majnun*. Dentro de poucos dias, a loucura desaparecera, e ele tinha se tornado Kais novamente, o jovem nobre, forte e bonito que fora uma vez. Pela primeira vez em meses tomou um banho e usou o fino turbante e as batas que Nowfal havia preparado para ele. O apetite voltou, e ele comeu e bebeu com gosto, na companhia dos amigos, recitando suas odes e sonetos para eles, e não para o vento e para as nuvens. A cor novamente inundou suas faces cavadas e pálidas; e quem já estivera recurvado como uma cana quebrada agora estava alto e ereto de novo, como um broto jovem e firme. A flor que uma vez teve suas pétalas espalhadas pela tempestade florescia novamente.

Desde que tinha voltado ao mundo dos homens, a visão de Majnun sobre o mundo e a natureza também havia mudado. Já não ignorava mais as páginas do livro da criação que Deus abria a cada dia diante de seus olhos. Novamente encantou-se com as roupagens elegantes e douradas da manhã, como se estivesse testemunhando o milagre do amanhecer pela primeira vez. Igualou-se ao riso do sol do meio-dia, com seus próprios sorrisos radiantes, e juntou-se em uníssono com os pássaros, a cada canção. Para surpresa e encanto de todos, Majnun novamente tinha se juntado ao mundo dos homens.

Se ele estava contente, Nowfal estava ainda mais, pois fora ele quem operara o milagre. Estava como uma nuvem na primavera, que borrifa suas gotas de água sobre a terra crestada. Diariamente trazia novos presentes para seu amigo recuperado. Nada era caro ou extravagante o bastante para ele. Conservava Majnun o tempo todo a seu lado e recusava-se a ficar separado dele até mesmo por uma hora. Nem Nowfal nem Majnun tinham alguma vez experimentado amizade tão profunda. Mas como os dias transformaram-se em semanas, e as semanas transformavam-se em meses, nuvens de tempestade começaram a se juntar no horizonte.

17

Era um dia como outro qualquer. Majnun e Nowfal estavam sentados juntos, relaxados e felizes, um desfrutando da companhia do outro, numa conversa amigável que fluía de seus lábios. De repente, o sorriso de Majnun morreu e sua face ficou nublada. As lágrimas encheram seus olhos, e ele começou a recitar:

Com o pesar em meu coração não te comoveste;
Dor alguma sentes quando eu choro.
Das promessas feitas em abundância,
Nem sequer uma delas mantiveste.
Meu desejo juraste saciar.
Mas desde o início inflexível foste;
Alegre, incitaste as ardentes chamas do amor,
Com palavras vazias meu coração devastaste.

Nowfal permaneceu num silêncio triste, desejando saber como uma gota tão amarga poderia ter caído na taça da amizade sem ser notada. O que ele poderia dizer? Estaria preparado para responder? Não tinha arma alguma contra esse ataque, nem uma palavra com que pudesse repelir essa agressão súbita. Tudo o que pôde fazer foi baixar os olhos para esconder a dor que sentia.

Era claro que os eventos dos últimos meses nada tinham feito para diminuir o desejo de Majnun por Laila; ele queimava mais ardente do que antes. Não importavam os riscos ou os perigos que isso envolvia: Nowfal dera sua palavra, e agora tinha a obrigação de cumprir o trato. Devia completar o que prometera. Com amargura, Majnun continuou: "Como você foi rápido em fazer as promessas, mas como está silencioso agora! Você está contente em sentar-se e observar meu coração partido, enquanto nada faz? Meu poço de paciência secou; minha provisão de bom senso se esgotou. Se você não me ajudar, eu morrerei! Ou talvez deva buscar a ajuda de melhores amigos? Eu estava fraco, sem amigos, alquebrado e morrendo de sede pela água da vida, e você prometeu tudo mudar. Mas nada fez — nada a não ser quebrar suas promessas. Que tipo de homem é você? O Senhor Deus não manda que seus servos dêem comida ao faminto e água aos que morrem de sede? Cumpra o que você prometeu, ou então devolva esse louco ao deserto onde você o encontrou. Una-me a Laila, ou então porei fim à minha vida miserável!"

18

As palavras de Majnun eram como flechas incendiárias, e o coração de Nowfal era como a cera. O príncipe percebeu que teria de agir imediatamente. Trocando suas vestes por uma armadura, e seu cálice por uma espada, começou a agir sem demora. Dentro de uma hora, cem cavaleiros — todos eles qualificados na arte da guerra — estavam reunidos sob a bandeira do príncipe.

Nowfal cavalgava à frente, o cabelo flutuando ao vento como a juba de um leão possesso, com Majnun montando a seu lado. Depois de um tempo, alcançaram os arredores do acampamento onde a tribo de Laila havia erguido suas tendas. Nowfal ordenou a seus homens que desmontassem e armassem o acampamento. Então, enviou um arauto ao chefe da tribo de Laila, com esta mensagem:

"Eu, Nowfal, por meio desta, declaro minha intenção de empreender guerra contra vocês. Minhas tropas estão reunidas e estamos prontos para lutar até o último homem, até que sejamos vencedores. Só existe uma forma de evitar tudo isso: entreguem-me Laila. Se vocês se recusarem a obedecer, então a espada decidirá a questão entre nós. Estou determinado a entregar Laila para o homem que a ama de verdade, o único homem em todo o mundo que a merece. Esse é o meu objetivo."

Pouco tempo depois, o arauto retornou com esta resposta:

"Tomamos o devido conhecimento do que o senhor disse. Nossa palavra em relação ao assunto é: Laila não é um brinquedo que possa ser apanhado por quem bem entender. Embora seja bela, a lua não pode ser alcançada por todos os que se apaixonam por ela. O senhor deseja roubar o que não é seu de direito? Está empreendendo uma guerra contra nós por algo a que não tem direito algum? Ousa pedir o impossível e nos ameaça de morte quando lhe recusamos? Demônio do inferno! Então galope contra nós, se desejar, e subjugue-nos pela espada, se for capaz!"

Com raiva cada vez maior, Nowfal enviou uma segunda mensagem: "Patéticos tolos! Vocês estão cegos? Não vêem que somos muito poderosos e como estão afiadas as nossas espadas? Realmente pensam que podem resistir a nós? Alguns miseráveis mal equipados podem frear uma onda que é maré de aço e fúria? Vamos, tenham bom senso enquanto é possível! Façam o que pedimos e poupem-se, caso contrário o desastre os subjugará."

Mas novamente o arauto retornou com uma negativa que foi expressa com ofensas e menosprezo. Nowfal estava prestes a explodir de ira. Sacando a espada da bainha, fez um sinal para que seus homens avançassem. Com as lâminas refletindo à luz do sol e os punhos fendendo o ar, os homens de Nowfal desceram como um bando de abutres famintos sobre o acampamento de Laila.

O estrondo do aço contra o aço, o relinchar apavorado dos cavalos, os gritos e os berros horripilantes dos feridos. O cravar do punhal no peito, da lança na coxa, do machado no crânio. Os soluços das mulheres e crianças que se lançavam para dentro das tendas. Os membros cortados, as cabeças separadas dos corpos, a carne pisoteada por cascos de cavalo. O sangue que corria em regatos, deixando a terra escarlate, púrpura, negra. E em todos os lugares, o cheiro agridoce de morte...

Entre os homens, só Majnun não tomava parte no combate. Mas essa ceifa de membros, esse massacre, não eram por causa dele? E no entanto ele permanecia apartado, a espada adormecida na bainha, o olhar mirando, desamparado. A falta de ação não era por medo ou covardia. Não. Era muito mais terrível do que isso: ele não conseguia se mover porque estava literalmente paralisado entre os dois acampamentos. Compartilhava do sofrimento de ambos os lados. Todo sibilar de espada, toda punhalada de amigo ou inimigo o atingia. Abandonando a arma, lançou-se no coração da luta, rezou a Deus e implorou aos guerreiros para que parassem de lutar e firmassem a paz. Mas poucos poderiam ouvi-lo, e os que o ouviram não lhe deram atenção. Foi um milagre ele não ter sido morto.

Majnun sabia que seu coração deveria estar com Nowfal. Sabia que Nowfal estava lutando pela sua causa e que deveria rezar pela vitória de seu benfeitor. Mas, como a batalha não cessava, sua mente ficou ainda mais confusa. Não era ele mesmo quem sempre dissera que estava pronto a morrer por Laila? Porém, aqui eram os homens de Laila que estavam sendo mortos em seu interesse. E por quem? Por Nowfal e seus homens — os próprios amigos de Majnun!

Um pensamento vergonhoso insinuou-se em sua mente. Nowfal e seus homens eram realmente seus amigos? Na verdade, não eram eles os inimigos de seus amigos? Enquanto o combate se intensificava ao seu redor, outra batalha acontecia em sua própria alma, com embates tão ferozes quanto os do campo. Majnun reconheceu que não fora a vergonha que o imobilizara, pois teria puxado a espada contra o seu próprio lado, contra os homens de Nowfal. Mas disse a si mesmo que isso o tornaria infame aos olhos da tribo de Laila. Quase podia imaginar o riso e as zombarias dos lutadores inimigos, entretidos com o espetáculo que seria ele atacar pelas costas os próprios homens que tinham como meta ajudá-lo. Contudo, como o Destino assim decretara, ele teria incendiado suas flechas alegremente contra esses que atacavam a tribo de Laila agora. Seu coração estava com os homens de sua amada. Assim, fez uma oração silenciosa pela vitória deles.

Finalmente, esses sentimentos tornaram-se muito fortes para serem subjugados. Sempre que um cavaleiro inimigo avançava ou derrubava um dos homens de Nowfal da sela, ele se alegrava; sempre que um homem de Nowfal acertava um golpe, ele urrava de desalento.

Por acaso, um dos homens de Nowfal viu como Majnun estava se comportando, veio até ele e disse: "O que está errado com o senhor? Por que aprecia a ação de longe? Por que se regozija com os avanços dos inimigos? Esqueceu-se de que estamos aqui por sua causa? Não percebe que nós todos estamos arriscando nossas vidas pelo senhor?"

"Se eles realmente fossem meus inimigos", respondeu Majnun, "eu poderia lutar, mas eles não são meus inimigos. Essas pessoas são minhas amigas. Na verdade, não tenho lugar aqui. O coração de minha amada bate pelo inimigo, e onde o coração dela está é onde devo estar. Quero morrer por ela. Nunca foi meu desejo matar outros homens. Como posso estar ao vosso lado, quando dei minha alma a ela?"

Enquanto isso, Nowfal estava à beira da vitória. Como um louco sem amarras, ele atacou violentamente o inimigo, sem tréguas, liquidando homem após homem a cada avanço, inebriado pelo aroma da glória. O crepúsculo começou a cair, e a batalha ainda não estava decidida. Logo a noite lançou seu negro véu sobre os ombros fustigados do dia, e a serpente da escuridão tragou a última pérola de luz. Os lutadores não podiam ver uns aos outros no campo de batalha. Nowfal declarou interrompida a luta — por ora —, o que foi aceito. Sendo assim, não havia vencidos nem vencedores, e eles se encontrariam novamente ao amanhecer.

Muitos homens valentes tinham morrido, e o número de feridos era maior que o número de mortos. Entretanto, Nowfal estava certo de que poderia efetuar um assalto final e alcançar uma vitória decisiva no dia seguinte. Mas quando, ao amanhecer, começava a reunir seus homens para conduzi-los à batalha, um de seus batedores chegou ao acampamento com a notícia de que o inimigo havia sido reforçado por tropas de outras tribos.

Nessas circunstâncias, Nowfal deveria ter ficado possesso, mas ele não era tolo. Depois de consultar seus homens, foi tomada uma decisão: Eles optariam pela retirada. Então, Nowfal chamou o seu arauto e enviou esta mensagem ao acampamento inimigo:

"Basta! Basta com esta matança insensata", dizia a mensagem. "É tempo de fazer a paz. O que eu desejava de vocês — e o que ainda desejo — é Laila. Ela é a única que pode quebrar o feitiço e romper as correntes de desilusão da alma de Majnun. Em troca de Laila, estou pronto a lhes pagar camelos carregados de tesouros. Reflitam bastante sobre minha proposta. Mas, mesmo que vocês a recusem, devemos baixar as armas e selar a paz. Essa é a única alternativa."

Ninguém esperava que a tribo de Laila aceitasse o pedido de Nowfal, e quando o arauto retornou com a carta de recusa, ninguém ficou surpreso. A proposta de paz, porém, foi aceita. Mais nenhum sangue seria derramado. Laila estava segura com seu povo, e Nowfal e seus homens retornaram para sua terra.

19

Majnun cavalgou em silêncio ao lado de Nowfal. Durante uma hora eles não trocaram uma única palavra. Mas finalmente, quando a ferida reaberta na alma de Majnun produziu uma dor aguda, ele não conseguiu conter-se.

"É assim que você me ajuda?", ele indagou. "É esse o único modo que você conhece para reunir duas pessoas apaixonadas? É esse o último recurso de sua sabedoria: lutar com homens e armas? É esse o segredo de seu poder? É essa a prova de sua força? É assim que você entra em ação em favor de seus amigos? Deus sabe que eu jamais quis esse tipo de ajuda. Só Deus sabe que nunca lhe pedi que derramasse sangue por minha causa!

"E agora você teve sucesso, transformando meus amigos em inimigos. A porta que sempre desejei atravessar em paz, eles agradecem a você por tê-la fechado para sempre e jogado a chave fora!

"Você transformou minha boa causa em algo infame — tudo em nome da amizade! Você não é meu amigo. Eu renuncio a todos os laços de amizade com você. Como podemos ser amigos? Sinto-me como o rei no tabuleiro de xadrez, que recebe xeque-mate de seu próprio cavalo! Sinto-me como o cão pastor, perfurado pela flecha que seu dono disparou contra o lobo!

"É verdade, você pode ser grande quando pratica a generosidade, mas quando tem de cumprir suas promessas você é realmente pequeno, muito pequeno!"

Não havia nada que Nowfal pudesse fazer para se defender contra essas palavras. Com suavidade, tentou argumentar com o amigo.

"Você deve entender que teríamos sido derrotados: o inimigo era superior em todas as frentes. Por isso, era impossível alcançar a nossa meta e conquistar Laila para você. Mas ainda não acabou, acredite. É verdade, eu concordei em fazer a paz, e nós partimos. Mas isso foi um estratagema forçado pelo Destino.

"Dou-lhe minha palavra de que retornarei, meu amigo! Minha intenção agora é reunir o apoio das tribos vizinhas. Reunirei um exército jamais visto pela tribo de Laila! Não descansarei até que faça o que tinha a intenção de fazer. Não descansarei até que o tesouro que você mais deseja esteja em suas mãos."

E Nowfal fez exatamente como disse que faria. Enviou emissários a todas as tribos da vizinhança, de Medina a Bagdá, e mais além. Com sua riqueza incontável, reuniu um exército que se estendia de horizonte a horizonte como um oceano de ferro. Então, pela segunda vez, ele foi à guerra para conquistar Laila para o amigo.

20

Como um vasto mar de homens e aço, o exército de Nowfal varreu a planície. Os tambores de guerra rufavam, os cascos dos cavalos batiam, e os gritos de guerra eram suficientes para fazer tremer o coração de um homem morto. Bandeiras vermelho-sangue tremulavam na brisa, espadas e punhais refletiam ameaçadoramente a luz do sol. Ao meio-dia, o exército de Nowfal alcançou os arredores do acampamento de Laila. Ali, o mar de homens e ferro serenou — como a calmaria antes da tempestade que se aproxima.

Batedores da tribo de Laila haviam transmitido as notícias do retorno de Nowfal para o acampamento, e embora soubessem que estavam em número radicalmente inferior não perderam a coragem. Ainda estavam determinados a não consentir, a não desistir pela força: estavam dispostos a morrer antes de entregar Laila ao agressor.

A batalha começou com uma luta mais feroz do que qualquer um dos lados jamais havia experimentado. Logo a planície inteira era uma vasta multidão de homens e cavalos; assim cerrados na batalha, eles descobriram que o espaço era pequeno para se moverem, e não havia chance de alguém escapar. E toda punhalada atingiu seu alvo, e todo golpe de espada encontrou sua vítima. O sangue jorrou como vinho vertido de mil cálices; tão vermelhas tornaram-se as areias que parecia que incontáveis papoulas do deserto haviam florescido repentinamente, vindas de toda parte.

Finalmente, a matança tornou-se demais até mesmo para o maior dos guerreiros: muitos homens começavam a vacilar antes de golpear, como se cansados e envergonhados por ferir outro inimigo, por tomar outra vida. Mas Nowfal continuava pressionando, vomitando fogo e destruição como um dragão na linha de frente. Nenhuma cabeça estava protegida do golpe de sua maça, nenhum coração estava protegido do fio de sua espada. Ele avançou como a foice da morte, ceifando tudo pelo caminho, sem jamais parar para olhar para trás, alheio à extensão da carnificina que ele e seus homens tinham produzido.

Como a noite começava a cair, era claro que o dia tinha sido ganho por Nowfal e seus homens. A tribo de Laila estava verdadeiramente derrotada. Muitos foram mortos ou haviam sido feridos, e os que foram poupados estavam indescritivelmente exaustos. Como num gesto simbólico de rendição e sinal de luto, os anciãos da tribo derrotada jogaram terra por sobre suas cabeças e fizeram o caminho em silêncio até a barraca do vencedor. Lá, eles prostraram-se diante de Nowfal e gritaram: "Ó, Nowfal! Hoje a vitória é sua, e nós experimentamos uma derrota amarga. Agora, pelo amor de Deus, deixe reinar a justiça! Deixe que os poucos de nós que sobreviveram a esse banho de sangue vivam em paz. Permita-nos renascer depois de nosso outono e lembre-se disso: logo nós todos deveremos ser chamados a renascer mais uma vez diante de Deus, no dia do Juízo Final. Abaixe suas armas, pois o senhor já não precisa mais delas — nós somos homens indefesos que não lhe desejam mal algum. Guarde suas lanças e flechas; agora o senhor não tem o que fazer com elas. Nós, de nossa parte, jogamos ao chão nossos escudos e colocamos nosso destino em suas mãos. Pelo amor de Deus, tenha clemência."

Nowfal foi tocado pela fala do ancião e por um momento sentiu-se incapaz de responder. Também estava pronto a esquecer tudo o que acontecera e a deixar o passado para trás. Solenemente concordou com uma trégua, mas não deixou de mencionar seu preço: "Escutei o que vocês disseram e concordo que a paz é nossa solução. Estou de acordo com uma trégua. Partirei agora, mas antes de partir tenho de pedir aquilo que ganhei de vocês aqui, hoje. Tragam Laila para mim — só então ficarei satisfeito e partirei."

Tão logo ele acabara de falar, um homem da tribo derrotada avançou e aproximou-se de Nowfal. Era o pai de Laila, com as costas encurvadas pelo pesar e pela humilhação. Lentamente ajoelhou-se diante de Nowfal, prostrando-se no pó aos pés do vencedor, e começou a soluçar: "Ó, Nowfal! O senhor é o orgulho de todos os árabes e um príncipe entre os homens! Eu sou um velho — um velho cujo coração está destruído e que foi curvado pelas vicissitudes do tempo. O desastre colocou-me de joelhos. O pesar impeliu-me a uma situação crítica. Como dizem, pesam sobre mim culpa e infâmia, e quando penso no sangue que foi derramado por minha causa gostaria que a terra de Deus se abrisse e me tragasse por inteiro. Mas agora é o senhor quem decide. Se poupar minha filha, a gratidão é minha. Mas se deseja matá-la, então mate-a! Rasgue a garganta dela com seu punhal, enterre sua espada no coração dela, pisoteie o seu corpo no pó sob os cascos de seu cavalo, se assim o desejar. Não questionarei sua decisão.

"Mas há uma coisa que nunca poderei aceitar. Enquanto eu for o pai dela, minha filha jamais deverá ser entregue a esse lunático, a esse demônio disfarçado de gente, a esse louco, esse *majnun* — nunca! Por segurança, ele deveria ser algemado com correntes de ferro e trancafiado, e não atado com os laços do matrimônio e deixado livre!

"Afinal de contas, o que ele é? É um tolo, um vagabundo, um andarilho qualquer, um homem sem paradeiro ou serventia, um inútil que vaga nas vastidões das montanhas como um ermitão imundo, possuído por Satanás e seus servos. Tem ele condições de permanecer entre outros seres humanos, ou até mesmo de ter uma esposa? E eu, mereço ter como genro um poeta pérfido que arrastou meu nome pela sujeira? Não há um canto em toda a Arábia onde o nome de minha filha não faça parte de algum pequeno verso triste nos lábios de pessoas comuns. E o senhor, com toda a seriedade, pede-me que entregue minha filha a ele? Meu nome estaria sujo para sempre, e minha honra, suja além da redenção.

Está pedindo o impossível, senhor, e eu lhe imploro que desista. Senão, cortarei a cabeça de minha filha com minha própria espada em vez de entregá-la a Majnun. Isso seria como alimentar um leão com minha própria filha. É melhor que ela tenha uma morte rápida, por minha própria espada, do que seja posta nas mandíbulas de um dragão como Majnun!"

Durante um segundo, a audácia da retórica do velho e a violência de suas ameaças deixaram Nowfal atordoado, em silêncio. Mas mesmo assim ele não teve ressentimento algum por essa figura curvada no pó. Firme mas educadamente ele respondeu: "Levante-se, velho! Embora eu esteja no comando aqui, não pretendo levar sua filha à força. Uma mulher levada à força é como uma comida sem sal. Só a levarei se o senhor entregá-la de boa vontade."

Os ajudantes e conselheiros de Nowfal concordaram com ele. Se Majnun não pudesse ter Laila, a culpa seria somente dele. Afinal, tudo acontecera por causa de Majnun. A culpa da matança fora dele. E, durante o primeiro encontro, não estivera ele ao lado do inimigo e agira traiçoeiramente com os que lutavam por sua causa? O mesmo cavaleiro que repreendera o comportamento de Majnun durante a primeira batalha deu um passo à frente e aproximou-se de Nowfal.

"O velho tem razão", ele disse. "Esse tolo, Majnun, é um escravo da cobiça. Pensamentos de desobediência e rebelião dominam a sua mente, e ele não está em juízo perfeito para pedir a mão de alguém em casamento. É claro que tem a mente perturbada e que não merece confiança. Nós não arriscamos nossas vidas por ele? Não estávamos prontos a lutar até a morte? Apesar disso, ele tinha esperança de que o inimigo saísse vitorioso! Por ele apresentamos nossos corpos como alvo para as flechas inimigas — flechas que ele, em segredo, estava abençoando! Nenhum homem em juízo perfeito age de tal modo. Olhe para ele, veja como ri sem razão e grita sem motivo! Mesmo que tivesse conquistado Laila, o Destino não abençoaria essa união. Esse homem não tem qualquer qualidade redentora, e você, Nowfal, viverá para lamentar ter ajudado Majnun. A honra e a vergonha até esse momento conquistadas são suficientes: agora deixe-nos contar nossas perdas e lave nossas mãos de todas essas disputas."

O que Nowfal poderia fazer? O pai de Laila estava irredutível até na derrota. Ele desfrutava até mesmo do apoio dos homens de Nowfal. E, como sua própria mente estava cheia de dúvidas relativas a Majnun, Nowfal não podia culpá-los.

E assim ele decidiu. Concordando em retirar seu pedido como espólio pela vitória, Nowfal fez sinal a seus homens para desarmarem o acampamento e partirem.

21

Majnun não conseguiu domar sua raiva por muito tempo, e ainda não haviam percorrido uma distância muito longa quando virou-se para Nowfal e começou a gritar: "Você se diz um amigo? Você nutriu minhas esperanças e fortaleceu-as como uma árvore. E agora você derruba a árvore com seu próprio machado! Os espólios da vitória eram seus por direito. Laila era praticamente sua, e por conseguinte minha: por que a deixou escapar? Por que prometeu me ajudar e depois voltou-se totalmente contra mim?

"Eu era como um homem morrendo de sede. Você conduziu-me às barrancas do Eufrates e então, antes que eu pudesse beber, afastou-me do rio, levou-me de volta ao calor causticante das vastidões do deserto sem água! Você me conduziu à mesa, mas não me deixou comer! Por que, então, se nunca pretendeu entregar-me o meu tesouro, mostrou-o a mim?"

Majnun puxou as rédeas de seu cavalo e, sem qualquer alarde, galopou sem destino pelas areias do deserto. Logo desaparecera da vista, deixando Nowfal e seus homens assombrados.

Alguns dias depois que Nowfal havia retornado à sua terra, ele organizou uma equipe de busca e foi procurar o amigo para confortá-lo, dizer-lhe o quanto o amava e assegurar-lhe que nunca tivera a intenção de magoá-lo.

Mas não havia qualquer rastro de Majnun. Era como se ele tivesse desaparecido completamente da face da terra. Era como se seu nome tivesse sido apagado do livro da vida. Aos poucos Nowfal chegou à conclusão dolorosa de que tinha perdido o amigo para sempre.

22

Depois que deixou Nowfal, Majnun ficou como uma criança abandonada. Montado no cavalo, galopou para o coração do deserto. Agora o vento era seu único companheiro. E com uma voz rouca de pesar cantou para si mesmo a infidelidade de Nowfal e narrou seu destino para as fogueiras de acampamentos abandonados pelas rotas das caravanas por onde passava.

De repente, viu algo mover-se ao longe. Quando se aproximou, viu que eram duas gazelas presas numa armadilha. E havia um caçador que se debruçava sobre elas, com o punhal desembainhado, pronto para a matança. Majnun sentiu o sangue ferver em seu peito.

"Deixe esses pobres animais em paz!", gritou ele. "Sou um estranho por aqui e, assim, sou seu convidado. Não se permite que um anfitrião recuse o pedido de seus convidados! Agora remova os laços dos pescoços das gazelas e liberte-as! Não há espaço suficiente neste mundo para todas as criaturas de Deus? Qual foi o crime desses animais que você está pronto a sacrificar? Veja como são elegantes, com que formosura foram criados! Eles não fazem com que você se lembre da própria primavera? Seus olhos transbordantes de alma não fazem você se lembrar dos olhos daqueles que você ama?

"Liberte-os! Deixe-os sós para que vivam em paz! Os pescoços deles estão em muito bom estado para que sofram o sibilar de sua espada;

peitos e coxas não foram feitos para encher sua panela; os lombos, que nunca suportaram carga, certamente não estão destinados ao fogo! Deixe-os ir, eu lhe imploro!"

O caçador recuou, surpreso. Nunca na vida tinha ouvido um pedido de clemência tão comovido, tão nobre. Ainda sacudindo a cabeça em desacordo, ele disse: "Bem, o que posso dizer? Entendo seu ponto de vista e concordo com você.

"Mas sou um homem pobre. Se não fosse pela minha pobreza, nunca seria capaz de sacrificar essas criaturas de Deus. Mas essa é a primeira captura que faço em dois meses. Tenho uma esposa e várias bocas pequenas para alimentar. É justo sacrificar o bem-estar de minha família pela liberdade de alguns animais?"

Majnun desmontou e, sem qualquer palavra, deu as rédeas de seu cavalo ao caçador. Desconcertado pelo comportamento de Majnun, porém mais do que feliz com a troca, o caçador montou e foi embora, deixando o moço desatar as gazelas presas. Com ternura ele livrou-as da armadilha, acariciou-as, beijou-lhes os olhos e disse:

Mais escuros que a noite, os olhos dela vejo nos seus;
Mas a simples semelhança não pode recompô-la aos olhos meus.
Porque ninguém pode devolver o que perdi,
E o que me resta são recordações que queimam...

Invocando as bênçãos de Deus sobre os animais, soltou-os e observou como eles trotavam em disparada pelas areias. E então continuou o seu caminho, só que com um passo muito mais lento, como se estivesse curvado em dobro, pelo peso de seu sofrimento e dos poucos objetos que possuía.

O sol, com seu bastão ardente, castigava sem piedade sua cabeça, enquanto a areia tostava seus pés. Sua pele abrasava, o cérebro parecia estar fervendo e os pés encheram-se de bolhas e rasgaram-se nos espinhos, mas ele prosseguia sem cessar. Continuou a andar até que a noite lançou seu manto índigo sobre a terra, a lua tomou emprestada a luz do sol e tornou-se um enorme olho que tudo vê do alto do céu. Só então ele descansou.

Arquejando e gemendo, rastejou até uma caverna e fez uma cama, usando o velho xale como manta e uma pedra como travesseiro. Então ele se deitou e, lutando com o sono, leu por algum tempo o livro de sua própria vida, em páginas que eram mais escuras que a própria noite.

23

Assim que a manhã desfraldou sua bandeira de luz e o sol incendiou-se com um rasgo no véu da noite, negro como carvão, os demônios do sono libertaram-se e devolveram a Majnun sua mente, permitindo que ele despertasse.

Esfregando os olhos, ele emergiu da caverna e continuou seu caminho, compondo odes e quadras, cantando em voz alta para si e para o deserto.

Ao entardecer, Majnun encontrou-se com outro caçador. O homem havia pegado um veado numa armadilha e estava a ponto de rasgar a garganta do animal.

O sangue de Majnun nem chegou a ferver, e ele correu para o caçador e gritou: "Seu monstro de tirania! Seu opressor vergonhoso dos fracos e indefesos! Deixe essa criatura ir, para que ela possa desfrutar em paz o que lhe resta de vida!

"Você não pensa na companheira dessa pobre criatura? Nos seus filhotes esperando pelo retorno do pai? O que diria a pobre corsa se pudesse falar? Ela o amaldiçoaria, pediria a Deus que o fizesse sofrer tanto como você fez o companheiro dela sofrer.

"A angústia desses que você tortura não significa nada para você? Ponha-se no lugar do animal. Imagine-se como vítima da armadilha, e ao veado, como o caçador prestes a matá-lo. O que você sentiria, então?"

"Eu não mato pelo simples desejo de matar", disse o caçador abaixando o punhal. "Mato para sobreviver, para pôr comida à mesa. Se você desejar, estou pronto a vender o veado para você."

Majnun não tinha dinheiro ou jóias, mas tinha algumas coisas que Nowfal havia lhe dado. Retirou-as da bolsa e deu-as ao caçador, que ficou bastante satisfeito com a troca. Enchendo sua bolsa, o caçador deu um leve tapa nas ancas do animal, sorriu para Majnun e partiu pelas dunas.

Quando o caçador se foi, Majnun aproximou-se do veado e acariciou-o com suavidade, como um pai acaricia um filho. E então começou a sussurrar na orelha do animal:

"Você está como eu, separado de quem ama. Não importa, pois seus temores acabaram. Agora você pode retornar e dormir ao lado dela novamente, no lugar que é seu. E se, retornando à sua amada, por acaso encontrar a minha amada no caminho, mande-lhe esta mensagem:

Toda brisa que sopra traz-me o aroma teu;
Todo pássaro que canta brada-me o teu nome;
Todo sonho que sonho traz-me a lembrança de teu rosto;
Todo lampejo em teu rosto traz esse rosto a mim.
Seja qual for a distância, eu sou seu, eu sou seu;
Onde quer que tu estejas, é minha, é toda minha a tua dor."

Com estas palavras, Majnun desatou o veado e libertou-o. E então observou como o veado apressava-se em ganhar distância, ansioso para se reunir à companheira.

Lá no alto, a caravana da noite voltava de suas viagens. No céu oriental, a lua emergiu da escuridão e começou a banhar o deserto com sua hipnótica luz prateada. Majnun olhou para o céu como um pássaro de asas feridas, imprestável para voar. Então mirou as estrelas e, com lágrimas nos olhos, pensou sobre seu destino.

24

O amanhecer lançou sua luz ocre sobre a redoma índigo da noite, enquanto o sol, despertando de seu sono, pintava frescas rosas vermelhas no horizonte. Mas Majnun, cansado pelo pesar e pela dor da separação, assemelhava-se a uma flor do outono, com as sépalas murchas, as pétalas amareladas e enfraquecidas, prontas a cair.

Quando o sol alcançou o zênite e começou a queimá-lo, Majnun ficou aliviado por encontrar um pequeno oásis orlado de palmeiras, com um fluxo de água borbulhante, onde podia descansar por algum tempo. Água, árvores e sombra! "Este lugar", pensou Majnun, "é um pedaço do céu caído na terra!"

Bebeu daquela fonte doce e fresca até matar a sede, e então deitou-se sobre o tapete de veludo verde da grama, na sombra das palmeiras. Dentro de minutos vagueava num sono profundo, doce. Lentamente, sua vigilância dissolveu-se, suas preocupações dissiparam-se e ele começou a sonhar.

Quando despertou, o sol já estava se pondo no Oeste. Quanto tempo dormira? Pareciam apenas alguns minutos, mas a luz desvanecida e o refrescar da noite próxima indicavam que não.

Enquanto pensava sobre os mistérios do sono e tentava descobrir quanto tempo poderia ter se passado inadvertidamente, Majnun foi de súbito tomado pelo sentimento de que não estava só, de que alguém ou algo estivera observando-o enquanto dormia. Mas com certeza estava equivocado. "Afinal", pensou ele, "além de mim não há qualquer outra coisa viva por milhas ao meu redor."

Então ele o avistou. Bem no topo, entre as folhas do galho mais alto da palmeira em cuja sombra ele estivera dormindo, uma sombra escura atraiu seu olhar. Lá, imóvel nas folhagens, estava um enorme corvo negro como carvão, com os olhos reluzindo como diamantes.

"Também ele está vestido de luto", pensou Majnun. "Como eu, escolheu o deserto para estar a sós com seu pesar." Majnun limpou a garganta e gritou para o pássaro: "Ei, você, com o manto preto! Quem você pranteia? Por que usa as cores da noite em plena luz do dia? Diga-me, você sofre por mim?"

Assustando-se com esse grito súbito, o pássaro saltou para outro galho, os olhos iluminados fixos em Majnun. Este então continuou: "Se você, assim como eu, é um desses cujo coração foi partido pelo amor, por que me evita? Ou talvez esteja vestido de preto porque é um pregador, pronto a montar o púlpito e fazer o seu sermão. É isso?

"Ou, então, você poderia ser um Guarda Negro, que está aqui para observar todos os meus movimentos. Se é assim, por que está amedrontado? Talvez eu seja um rei, e você seja o cavaleiro enviado para me proteger.

"Seja lá quem for, escute bem: se, enquanto você estiver voando, conhecer aquela a quem amo, diga-lhe isso por mim."

E Majnun começou a recitar:

Salve-me da solidão deste poço,
Pois neste deserto a luz da minha vida se enfraquece.
Tu disseste: "Não temas porque sou tua";
Se é verdade, vem agora ou deixa que morto me encontrem.
Quando apanhado, tarde demais ouve o cordeiro agonizante
Os sinceros gritos de "Lobo!" que teriam evitado seu destino.

Assim que Majnun acabou de recitar o verso, o corvo saltou até a ponta dos galhos. Então, com um agitar frenético de asas, saiu voando da copa da palmeira e planou. Logo tinha desaparecido de vista, tragado pela escuridão da noite.

O dia chegara ao fim. A noite se aproximava. Os morcegos revoavam e arremetiam-se, enquanto a tarde caía e a noite aumentava. Logo o céu estava mais escuro que o manto de um corvo. Realmente a própria noite era como um corvo, pintada de negro e agourenta. E, assim que o monstruoso pássaro noturno expandiu suas asas pelos céus, olhos de diamante fixaram-se mais uma vez para baixo, observando Majnun — agora ele não via somente um, mas cem mil pares de olhos grandes e pequenos, próximos e distantes, reluzindo em esplendor frio sobre sua cabeça. Para escapar desse olhar, Majnun cobriu a face com as mãos.

Então ele sentou-se e chorou.

25

A luz matutina cortava o véu da noite como uma faca afiada. Lentamente, a velha terra reencontrou nova vida, mais uma vez nascendo como uma flor imensa que emerge do broto.

Majnun apressou-se em avançar, os pés tocando levemente o solo. Era como se de repente tivessem-lhe brotado asas e ele pudesse voar. Sentia-se como uma mariposa que dança pela escuridão rumo à chama na qual deseja se transformar. Mas Majnun já se consumira antes de ter alcançado a vela dos seus desejos. A separação de Laila era uma dor que ele já não poderia suportar; era um fogo que havia tragado sua existência.

Quanto mais próximo chegava de sua meta, mais inebriada ficava sua alma com o aroma de Laila, mais distintamente seus ouvidos escutavam a voz dela, mais claramente seus olhos percebiam a imagem dela em tudo o que via — nas montanhas, nos vales, nas pedras e até nas areias inconstantes.

Depois de tanto tempo, ele estava tão fatigado que foi forçado a parar para descansar. Após alguns minutos, sentiu como se, agora, fosse um cadáver ressuscitado: com a respiração plena, com todo o fôlego, ele percebia o fluxo da força da vida retornando a seus membros cansados.

Ainda não havia descansado por muito tempo quando viu duas figuras que se aproximavam. Um homem acorrentado, com o corpo emagrecido, coberto de trapos imundos, os cabelos e a barba desgrenhados, era arrastado por uma mulher. O cativo miserável estava claramente fora do juízo. De vez em quando, a mulher puxava as correntes, batia nele com uma vara e apressava-o, como a uma besta de carga exaurida, fazendo-o gritar de angústia.

Profundamente chocado com o espetáculo deprimente, Majnun correu até o casal e agarrou a vara que a mulher carregava. "Por piedade", ele gritou, "deixe o pobre miserável! O que fez ele para merecer tal tratamento desumano? Pode estar louco, pode ser um criminoso, mas, apesar disso, ainda é um ser humano, e você não tem direito algum de castigá-lo dessa maneira."

A mulher respondeu: "Você realmente quer saber a verdade? Então escute bem, pois esse homem não está louco nem é um criminoso. Sou uma pobre viúva, e ele é um mendigo, um 'pobre de espírito', e ambos sofremos grande infortúnio. Estamos prontos a fazer qualquer coisa para ganhar dinheiro o suficiente para pôr uma fatia de pão em nossa mesa.

"E assim, desfilo com ele acorrentado. Desse modo, todos pensam que ele está louco. As pessoas sentem pena de nós — dele, por estar louco, e de mim, por ter de suportar tão pesado fardo —, e elas nos dão dinheiro pela bondade de seus corações. Tudo que ganhamos dividimos entre nós."

Majnun afundou seus joelhos no pó e começou a pedir a ela: "Pelo amor de Deus, liberte as correntes das mãos e dos pés desse pobre homem e coloque-as em mim, porque eu, sim, deveria ser acorrentado, e não ele! Veja, sou um louco de verdade!

"Sim, sou um desses miseráveis desgraçados cujas mentes foram destruídas pelo amor. Amarre-me e leve-me com você! Desfile comigo acorrentado, e não com ele, e tudo o que você ganhar será somente seu. O dinheiro pouco me interessa."

A mulher não precisou pensar duas vezes na oferta de Majnun. Retirando as correntes das mãos e dos pés do mendigo, ela amarrou o jovem. Livre do mendigo, a mulher deu um puxão nas correntes que agora prendiam Majnun e, com um sorriso feliz nos lábios, arrastou-o. Majnun, de sua parte, estava jubiloso, e todo sibilar da vara da mulher em suas costas nuas era como a carícia de uma amante.

A mulher e seu novo prisioneiro deslocaram-se de oásis em oásis e pararam em cada tenda por que passavam. Majnun sentava-se no pó e recitava seus poemas de amor, todos eles dedicados a Laila, enquanto batia na própria face ou dançava como um urso bêbado, enquanto a mulher batia-lhe com a vara.

Num extraordinário oásis, à beira do riacho, Majnun viu uma tenda que lhe pareceu familiar. Aproximando-se dela, para sua surpresa, viu que era a tenda de Laila.

De repente, os olhos dele explodiram com nuvens de chuva que cobriram suas faces de lágrimas. Ele abateu-se ao solo, jogou a cabeça contra a terra dura e clamou: "Por que você me deixou? Por que me deixou só, tendo como companheiro apenas o meu pesar?

"Olhe o que restou de mim. Estou pagando pelo que fiz a você e a seu povo. Fiz vocês sofrerem nas mãos de Nowfal. Para me redimir de meu pecado, abandonei minha liberdade e agora aqui estou, acorrentado e conduzido, esperando ser castigado. Sei o que fiz de errado e que o fardo do meu pecado é tão grande que jamais serei perdoado.

"Eu sou seu prisioneiro. Você deve ser meu juiz. Condene-me, se quiser. Puna-me com o castigo mais severo que possa imaginar.

"Sou culpado pelo sofrimento que você e seu povo suportaram. É tudo culpa minha. Você pensa que não sei disso? Não pode ver que é por isso que estou preso, açoitado e triste? Confessei o meu crime e agora estou aqui acorrentado, para sofrer o castigo pelas suas mãos. Assim, prenda-me, torture-me, mate-me se quiser — mas não me rejeite!

"Enquanto eu vivi, vivi para receber lembranças suas, mas elas não chegaram a mim. Enquanto vivi, vivi para o toque de sua mão em minha face, mas você sempre estava fora do alcance. Mas agora — agora, que minha vida está acabada — há esperança!

"Talvez agora, se me matar com sua flecha, você irá me olhar! Talvez agora irá me tocar, quando me descobrir o pescoço antes de separar minha cabeça do meu corpo com sua espada! Não tenho medo da morte: o que tenho eu para temer, se você é meu executor? Por que deveria tremer se é sua a espada que irá cortar minha cabeça?

"Meu coração é uma vela: ajuste o pavio e ela brilhará com mais força! Enquanto eu viver, todas as estradas até você estarão bloqueadas para mim. Assim, por que eu não deveria abraçar a morte de bom grado? Venha, salve-se de mim, e a mim de mim mesmo, deixe-me descansar a seus pés, eternamente em paz e na perpétua tranqüilidade!"

Não havia nada mais que ele pudesse dizer. Com um grito de rasgar o coração, saltou do solo como uma flecha, com a face contorcida de raiva. Como um homem possuído por demônios, pegou as correntes com as mãos e, auxiliado por alguma força desconhecida, arrebentou as correias presas a seus membros e lançou-as à areia. E correu. Correu para longe da mulher, da tenda de Laila, do oásis, de todos os seres humanos — e foi para as vastidões montanhosas do deserto de Najd.

Um por um seus amigos e parentes ficaram sabendo do que ocorrera; todos ficaram entristecidos com as notícias, mas poucos ficaram surpresos. O comportamento de Majnun preocupara-os durante um tempo, mas o que poderiam fazer? Houve uma reunião, e uma parte dos parentes de Majnun foi enviada à sua procura. Quando finalmente acharam-no, no cume de um dos lugares mais isolados, perceberam que a única coisa da qual ele se lembrava era Laila e seu amor por ela. O resto de seu passado fora apagado. Assim que tentavam estimular sua memória, mencionando os nomes de amigos e parentes, das pessoas e dos lugares que conhecera, ele calava-se ou fechava os olhos, como se estivesse exausto até mesmo para pensar. Tentaram de tudo para fazê-lo voltar à realidade, mas fracassaram, desgraçadamente. Por fim, os parentes de Majnun renderam-se e retornaram à cidade. Outros tentaram localizá-lo, mas com pouco sucesso. E no fim até mesmo o pai e a mãe de Majnun tiveram de abandonar a esperança de que ele um dia retornasse.

26

Fora o pai de Laila quem contara a ela sobre a vitória de Nowfal. Ele entrara correndo na barraca da moça, com as vestes respingadas de sangue e o turbante virado para trás. Estava exausto, é claro, mas por incrível que pareça havia triunfo em sua voz. Laila cuidara dos cortes e das feridas do pai, enquanto ele contava o que acontecera.

O velho esmurrou a coxa e disse orgulhosamente: "Que golpe! Isso sim é um golpe de mestre! Fiz o impossível: domestiquei essa criatura selvagem chamada Nowfal com minha fala; poucos minutos após a derrota que ele nos impôs, mostrei para ele quem era o verdadeiro vencedor! E agora escapei do desastre — por muito pouco!

"Quanto àquele maníaco, aquele demônio enlouquecido de Majnun — se ele tivesse insistido em seu intento, como realmente teimava em fazer, teria arruinado tudo. Não importa. Embora Nowfal tenha vencido de modo justo e honesto — e por que não? Pois lutou sinceramente em nome de Deus! —, graças à minha diplomacia, ele se retirou, e estamos salvos."

Laila escutou sorrindo. Embora concordando com a cabeça nos momentos certos, seu coração estava partido. Sentia que iria morrer de pesar em pouco tempo, mas claro que não podia revelar seus sentimentos.

Dia após dia Laila sofria em silêncio, simulando sorrisos, rindo e respondendo adequadamente quando lhe dirigiam a palavra, mas assim que a noite caía ela ia para a cama e chorava, protegida dos olhos que espreitavam. Até lá, nenhuma lágrima derramada.

A casa de seus pais tornou-se sua prisão. Pior: tinha se tornado sua tumba — e para ela não era bem melhor estar morta, então? Laila guardou o segredo de seu amor tão ciosamente quanto uma serpente guarda seu tesouro. Mas esse segredo teve seu preço. Como não havia ninguém em quem pudesse confiar, ela se sentia como um pássaro na armadilha: estava cansada do sofrimento e desejou a liberdade, mesmo que essa liberdade significasse a morte.

E enquanto sofria em silêncio esperava, ouvindo os murmúrios do vento, que eles lhe trouxessem uma mensagem de seu amado.

Ao mesmo tempo, os sonetos e as odes de Majnun, que exaltavam Laila e sua beleza inigualável, tinham-se espalhado por toda a terra. Tão famosa era sua poesia que logo Laila também se tornou famosa, e os pretendentes reuniam-se em todos os cantos do mundo para pedir a mão da jovem. Alguns ofereceram pomares e ovelhas; outros, ouro e prata. Embriagados pela visão de Laila, recorreram a todos os tipos de truques e estratagemas para alcançar a meta. Por mais qualificados que estivessem nas belas artes da persuasão, os esforços foram em vão: nenhuma quantia de terra ou ovelha, de ouro ou prata, podia seduzir o pai de Laila. Para ele, ela era um diamante que seria preservado com ternura e cuidado amoroso; para ele, ela era um cofre de pedras preciosas cuja chave não seria entregue facilmente. Laila, por sua vez, ficava tocada com a solicitude paterna e demonstrava sua gratidão com sorrisos e afeto. Mas os sorrisos eram os sorrisos de uma vela que brilha derretendo-se em lágrimas; eram os sorrisos da rosa que esconde seus espinhos.

Notícias das idas e vindas dos pretendentes de Laila alcançaram Ibn Salam, que ficou enfurecido só de pensar em tantas mãos sujas tentando tocar a jóia a ele prometida. Esgotada sua paciência e inflamada sua paixão, ele não poderia suportar aquilo por mais tempo. Rapidamente organizou uma caravana digna de um sultão: cinqüenta burros, cada qual carregado de âmbar e muito incenso, almíscar e mirra e guloseimas o bastante para alimentar um exército inteiro. Os camelos, pouco visíveis sob suas cargas de rico tecido, pareciam montanhas móveis de seda e brocado. Ibn Salam, por sua vez, estava vestido como um rei, e conforme a caravana passara de oásis em oásis ele banhara de ouro as pessoas por quem passava.

Ibn Salam montou acampamento perto do oásis onde Laila e seu clã tinham suas barracas e permitiu-se, e a seus acompanhantes, um dia de descanso antes de enviar um mediador à família da jovem. Esse mediador era um homem de grande eloqüência, qualificado na arte da retórica. Ele era capaz de tecer um feitiço com palavras. Tão eficaz era sua fala que poderia derreter o mais glacial dos corações. Tal era o seu discurso que ele poderia levantar um morto com o poder de sua lógica e a força de seus argumentos.

Era difícil resistir a essa obstinada determinação do mediador de Ibn Salam. E mais difícil ainda era resistir à enxurrada aparentemente infinda de presentes que Ibn Salam havia trazido. Pimenta das Índias, tapetes da Pérsia, ricos brocados da China, perfumes de Bizâncio — cada um desses presentes, sem dúvida alguma destinado a adocicar a amarga pílula do pedido de Ibn Salam e a ajudar a abrir a fechadura que, graças à chave da adocicada conversa do mediador, já estava praticamente aberta.

O mediador começou por encantar o pai de Laila: "Ibn Salam não é um homem comum. Ele é um verdadeiro leão, o orgulho de todos os árabes! Tem a força de dez dos mais fortes homens e é a coluna vertebral de qualquer exército.

"Mas ele não é apenas mestre na espada, pois para onde quer que vá é obedecido. Onde quer que pise, a fama precede-o. Sua nobreza é inquestionável e sua honra e integridade não têm máculas. Sua ira não tem paralelo: se for necessário, ele derramará sangue como se fosse água. A generosidade de Ibn Salam é matéria para as lendas: se necessário, ele poderá fazer chover ouro como se fosse areia.

"Pode o senhor recusar tal homem como genro? Se lhe faltam homens honrados, ele os achará para o senhor. Se lhe falta proteção, ele a dará."

Como as chuvas da primavera, as palavras do mediador quase não davam chance ao pai de Laila para responder. O que poderia fazer? O que poderia dizer?

Pois já não havia prometido sua filha a Ibn Salam? As coisas estavam acontecendo rápido demais, ele teria preferido esperar um pouco mais, porém tinha feito uma promessa que já não podia recusar. Procurou alguma desculpa, alguma brecha, algum modo de escapar, mas não encontrou. Sentia-se como um homem que de repente é surpreendido por um inimigo e procura em vão a arma mais próxima para se defender, sem encontrar arma alguma.

E a todo momento sentia-se encurralado pela habilidade da conversa de seu oponente. Finalmente cedeu, e uma data foi marcada para o casamento.

Quando o dia do casamento afinal amanheceu, o sol lançou seu véu de luz sobre os ombros da noite, como as pessoas lançam um véu sobre o rosto de uma noiva. O pai de Laila levantou cedo, ansioso para dar seguimento aos preparativos do matrimônio. Ao meio-dia, tudo estava pronto.

Ibn Salam, seu grupo e os outros convidados foram conduzidos a um pavilhão que tinha sido erguido especialmente para as celebrações da cerimônia. Honrando as tradições, os convidados sentavam-se todos juntos, admirando os presentes da noiva, lançando chuvas de ouro e prata ao ar, desfrutando as boas comidas e reforçando os novos laços de amizade e fraternidade. O riso enchia o ambiente, e todos sentiam-se em paz com o mundo.

Mas e Laila? Ela estava sentada na câmara nupcial, cercada por mulheres que tagarelavam e crianças que gritavam.

As mulheres tinham adornado as paredes do quarto com sedas e tapeçarias, e agora queimavam incenso em bacias de metal, enchendo o aposento de uma fragrância agridoce. Estavam tão entretidas com os preparativos que nem notaram as lágrimas de Laila.

Entre todas essas pessoas felizes, sorridentes, só ela estava triste. Punhais frios de solidão e desespero perfuravam sua alma. Nunca antes ela se sentira tão terrivelmente só. Ela e Majnun haviam chegado tão perto de alcançar o que desejavam... e agora tudo estava perdido. Assim que o cálice tocou os seus lábios, espatifou-se e derramou o vinho da felicidade na areia.

Ninguém poderia ler os pensamentos de Laila; ninguém teve a mais leve suspeita das tempestades furiosas que havia em seu coração. Pode um caminhante ver o espinho que o machuca? Mesmo que ela tivesse ousado revelar a extensão de sua infelicidade, sua família não teria entendido. E Laila estava determinada a nada dizer. Que bem isso poderia lhe fazer? Os que se rebelam contra a própria tribo a perderão; um dedo picado por uma serpente sempre deve ser decepado e jogado fora.

A vida é construída na harmonia e no equilíbrio de todos os seus elementos; sempre que essa harmonia é perturbada, a morte insinua-se, e tudo fica pior. Embora Laila demonstrasse felicidade, ninguém poderia negar que a morte já tinha se instalado em seu coração e estava apenas esperando o momento certo para transformar sua alma em túmulo.

27

O barco da noite transportou sua carga brilhante de estrelas ao longo do rio Tigre celeste, enquanto o sol fincava sua tenda dourada no prado azul do céu. A manhã chegara.

Ibn Salam, o mais feliz dos homens, fez um sinal para sua caravana dar início à longa jornada de retorno. Burros e camelos partiram em passo acelerado, porque voltavam sem suas pesadas cargas. E, embora Ibn Salam houvesse gasto uma verdadeira fortuna em presentes para a família da noiva, ele não reclamou nem mesmo durante um segundo. Afinal, já não era seu o mais precioso, o mais inestimável dos tesouros do universo?

A liteira que havia sido preparada para Laila era tão suntuosa por dentro quanto enfeitada por fora. Carregada por camelos e cercada de lacaios e criados, Laila foi tratada como uma princesa. Avisaram-lhe que, durante a jornada, bastaria bater palmas e a caravana faria uma parada, para que ela pudesse sair e descansar um pouco; bastaria tossir e lhe seriam oferecidos sucos de frutas frescas suficientes para extinguir a sede de um exército; bastaria bocejar e um caramanchão de pura seda seria erguido para que ela pudesse dormir. Mas Laila não desejou qualquer dessas coisas.

Quando finalmente chegaram ao acampamento de Ibn Salam, este voltou-se para Laila e disse: "Meu bem mais querido, tudo aqui lhe pertence. O que é meu é seu. Meu reino está sob o seu comando."

E a resposta de Laila? Bem, basta dizer que a resposta dela foi tal que a felicidade de Ibn Salam depressa começou a se nublar; seu coração, que brilhara como a alegria de um sol, agora foi envolvido por uma escuridão que parecia intensificar-se a cada dia. Laila não comeria, ela não dormiria e não lhe permitiria compartilhar de sua cama. O que significava isso? Por quanto tempo ele a procurara! E agora, agora que o tesouro estava quase ao seu alcance, a chave do cofre lhe era negada. Os leais cortesãos de Ibn Salam aconselharam-no a ter paciência. Paciência e esperança. Ele tentou de tudo para agradar a Laila, ou ao menos para entender por que ela se recusava a agradá-lo, mas foi tudo em vão. Nada se podia ler nos olhos de sua querida esposa a não ser lágrimas, e cada noite que caía encontrava-o dormindo e só.

Ibn Salam ficou tão frustrado que pensou poder conquistar Laila pela força. Afinal, perguntava-se ele, ela não é minha esposa? Não é direito meu? Quem sabe não é isso o que ela quer que eu faça? E assim, deixou de tentar conquistá-la com carinho e recorreu à ação mais forte. Mas novamente fracassou. Tentando arrancar a fruta, só conseguiu marcar as mãos com os espinhos; na pressa em provar da doçura, a única coisa que lhe permitiram saborear foi mais amargo que o dissabor. Pois, assim que estendeu a mão para tocá-la, Laila fincou seus dentes no braço dele e arranhou-lhe a face até que ambos ficaram cobertos de sangue.

"Juro por Deus que se tentar fazer isso novamente", gritou ela, "você irá lamentar pelo resto de sua vida — quer dizer, pelo tempo que lhe restar de vida! Prometi a meu Criador que não me submeterei às suas demandas. Você pode rasgar minha garganta com sua espada, se quiser, mas não pode me possuir à força!"

Não havia nada que Ibn Salam pudesse fazer. Profundamente apaixonado, não quis contrariar os desejos de Laila. Disse a si mesmo: "Embora ela não esteja apaixonada por mim, pelo menos está aqui em minha casa. Posso olhar, mas não devo tocar. Que assim seja! É melhor poder contemplá-la mesmo sem tocá-la do que não a ter comigo. Pelo menos posso contemplar sua linda face sempre que desejar."

Então ele ajoelhou-se ao lado de Laila, tomou sua mão e disse humildemente: "Perdoe-me, minha querida. Eu só imploro que me permita que olhe para você; pedir mais seria roubo, e não sou um ladrão."

Mas embora tivesse concordado, permitindo que Ibn Salam apenas olhasse para ela sempre que desejasse, Laila jamais retribuiu os olhares. Enquanto os olhos dele buscavam os dela, os olhos dela buscavam somente Majnun. Ela escutava os murmúrios do vento, na esperança de ter notícias de Majnun; ela assistia à dança dos raios solares, na esperança de que um único deles tivesse estado na presença do jovem e pudesse vir em sua direção trazendo o aroma dele. Às vezes, ela abria as cortinas à entrada da tenda e olhava para o céu noturno; então, a alma de Laila escapava durante algum tempo, e ela esquecia-se de si mesma. Preenchia suas horas com pensamentos sobre Majnun e vivia na esperança de receber uma mensagem dele. Um dia, quem sabe, ela dizia. Um dia, quem sabe...

28

Majnun nada sabia sobre o matrimônio de Laila com Ibn Salam. Mesmo após um ano inteiro, era ele quem menos sabia. O amor transformou-o num nômade cego e bêbado, tropeçando de lugar em lugar, sem saber para onde ir. O sofrimento fez com que emagrecesse, sua pele estava pálida, e ele piorava a cada hora. Mas para uma doença como a dele — a doença do amor — não havia cura.

Uma noite, Majnun estava deitado, exausto como sempre, sob as flores pendentes de um arbusto de espinhos. Ele não viu o cavaleiro se aproximar, nem mesmo ouviu o camelo do cavaleiro, até que este estivesse quase a seu lado. O cavaleiro, um homem moreno, trajando um capote preto como carvão, desmontou e quase parou sobre Majnun, como um monstruoso demônio negro. A voz dele intimidava tanto quanto a sua forma de aparecer. Ele chutou a perna de Majnun e trovejou:

"Ei, você aí! Sua idolatria separou-o do mundo e deixou-o alheio ao que está acontecendo. Mas deixe-me contar-lhe: em vão você dedicou seu coração a Laila. Você, seu idiota! Você realmente esperava que ela lhe permanecesse fiel? Realmente pensou que ela iria esperá-lo? Você ainda anseia pela luz onde só há escuridão?

"Como você se engana! O farol brilhante da inocência e do amor que você pensa perceber de longe é apenas uma ilusão, um truque da luz. O amor dela por você só existe em sua imaginação. Aos olhos dela, você não é nada!"

Majnun abriu a boca para falar, mas o estranho interrompeu-o, mais alto e mais severamente dessa vez:

"Seu pobre louco sem rumo! Você não percebe que ela o enganou? Você entregou seu coração a ela, e ela deu o coração ao inimigo!

"Ela se esqueceu de você, Majnun, ela dispersou ao vento as suas lembranças. Porque ela foi dada em matrimônio a outro homem — um matrimônio que ela estava muito feliz em aceitar. Agora, os pensamentos dela são todos para ele, para os beijos dele, para as coisas do amor, o calor dos braços adorados, a dureza do corpo rude, a beleza do tesouro que ele traz escondido dentro de si!

"Ela está perdida para sempre em pensamentos sobre os prazeres da carne, enquanto você está perdido em seu próprio pesar e sofrimento. Isso está certo? Isso é justo?

"Olhe o amplo abismo que sempre separou vocês e julgue por si mesmo: por que você deveria continuar desejando-a quando está claro que ela já não o deseja mais?"

Majnun sentia como se mil serpentes tivessem enterrado as presas em sua alma! Abriu a boca para implorar por clemência, mas o demônio negro continuou:

"As mulheres são mulheres, Majnun. Você realmente esperava que ela fosse diferente das outras? Elas são todas semelhantes, inconstantes e caprichosas, disfarçadas e fingidas. Ela é igual às outras de seu sexo, e as outras de seu sexo são como ela é.

"Ontem, você era um herói aos olhos dela; hoje, você é o diabo disfarçado! Ontem, você era tudo para ela; hoje, você não é nada. É verdade, as mulheres têm paixões como nós temos, mas as paixões delas são somente por interesse próprio: há hipocrisia e engano em tudo o que elas fazem.

"Envergonhe-se por confiar nela acima de todos! Alguém pode confiar realmente numa mulher? Confie numa mulher, e ela retribuirá sua confiança com tortura. E você só poderá culpar a si mesmo!

"Por quê? Porque um homem que confia numa mulher merece ser torturado; um homem que confia numa mulher e acredita que ela permanecerá fiel é mais estúpido do que ela e, assim, merece sofrer!

"Afinal, o que é mesmo uma mulher? Uma mulher não é nada além de um poço de desfaçatez e vaidade, vício e mentira.

"É verdade, na superfície, ela é um abrigo de tranqüilidade; porém cave mais fundo e encontrará uma agitada tempestade de tormento e tumulto. Como sua inimiga, ela corrompe o mundo inteiro e joga-o contra você; como sua amiga, ela corrompe sua alma. Se você diz: 'Faça isso!', pode estar certo de que ela não fará. Se você diz: 'Não faça isso!', pode estar certo de que ela irá até o fim do mundo para fazê-lo! Quando você sofre, ela está contente; quando você está contente, ela está no inferno. É assim que as mulheres são, meu amigo, e você estaria melhor se tivesse se lembrado disso."

Assim que o soturno estranho parou de falar, um terrível gemido de desespero cresceu das profundezas da alma de Majnun. Ele atirou-se para trás, e, quando caiu, sua cabeça bateu contra uma pedra tão fortemente que o sangue jorrou como uma fonte, colorindo de vermelho a areia sob ele. Majnun ficou deitado, inconsciente, mas seus lábios ainda se moveram num grito silencioso.

Fosse homem ou *jinn*, o cavaleiro sentiu pena de Majnun. Um pouco envergonhado do efeito que suas palavras haviam provocado sobre o louco, ele agachou-se próximo ao corpo enroscado até que Majnun recuperasse a consciência.

Então, com uma voz muito mais suave do que antes, começou a implorar o perdão de Majnun: "Por favor, escute-me, eu lhe imploro! Tudo o que lhe contei era mentira. Era uma piada de mau gosto, nada mais. Laila não enganou nem traiu você. E certamente não o esqueceu. Como poderia?

"Sobre o marido dela, bem, ele é marido dela só de nome. Estão casados há um ano inteiro, e nem uma vez Laila deixou-o chegar perto dela.

"Sim, ela está casada com ele, mas permanece fiel a você, e só a você. Está confinada na tenda e, lá, sofre, alimentando um coração partido e que só tem amor por você. Ela não tem mais ninguém no mundo todo e não passa nem um segundo sem pensar em você e em seu amor por ela.

"Como ela poderia esquecê-lo? Até mesmo se vocês estivessem separados por mil anos, ela não iria esquecê-lo!"

Majnun escutou com uma atenção extasiada as palavras do estranho. Mas estaria ele dizendo a verdade? Essas eram as únicas palavras que Majnun queria ouvir, mas estaria o cavaleiro falando com sinceridade? Mesmo assim as palavras acalmaram a dor em seu coração!

Majnun começou a lamentar-se; e sentado ali no pó, com lágrimas que desciam sobre suas faces, parecia um menino perdido, um pássaro minúsculo cujas asas tivessem sido quebradas por varas e pedras. Não havia nenhum lugar aonde ele pudesse ir, nada que pudesse fazer. Até mesmo os versos que fluíam de seus lábios lhe pareciam fúteis. "Para que servem os versos", pensou ele, "quando aquela para quem foram feitos provavelmente nunca poderá ouvi-los?"

29

Majnun arrastou-se como um animal ferido. Tanto pesar deixara-o emagrecido; havia apenas um leve sopro de vida em todo seu corpo. O único quadro que trazia na mente era Laila. Era a face dela que via sempre que fechava os olhos, e era a imagem dela que permanecia sempre que os abria.

Desejava a todo momento falar com ela, mas como? Sabendo que jamais poderia recitar seus versos pessoalmente para Laila, encarregou o vento de ser seu mensageiro. Assim que cantava as canções obsessivas de seu amor, o vento levava suas palavras embora... mas sem resposta.

O vinho do amor não correspondido é amargo como os dissabores, mas tão grande era a paixão de Majnun que ele não pôde se recusar a bebê-lo. E, enquanto bebia, seus versos continuavam a fluir:

Tu és a causa de minha lenta morte.
No entanto, enquanto estou vivo, minha paixão por ti cresce, e
eu perdôo.
Tu és o sol, e eu, a estrela da noite:
Ao nascer, tu ofuscas minha luz minguante.
A flama de todas as velas invejam teus olhos;

Em teu nome, as rosas florescem e desabrocham.

Apartar-me de ti? Jamais! Confesso
Meu amor e minha devoção até o fim de meus dias;
Atormentado, transformo-me em alvo para teus golpes:
Quando eu morrer, será teu o sangue que flui em minhas veias.

30

E o pai de Majnun, o velho *sayyid* — o que fora feito dele durante esse tempo todo?

A idade e o sofrimento haviam envergado suas costas e deixado seus cabelos brancos. Ele estava como Jacó, separado de seu amado José, mas pior: Jacó pelo menos tinha outros filhos para consolá-lo da dor, mas o pai de Majnun só tinha a ele e estava fadado a sofrer sozinho. Bem podia ver seu próprio destino, e este era mais negro que a mais negra das noites, uma noite sem fim.

E seus dias eram tão escuros quanto as noites. Ele sentava-se num canto da tenda e esperava pelo sinal que anunciaria sua partida para sempre, para o lugar do descanso eterno. Sabia que o sinal não demoraria a aparecer, pois já havia transposto os três limiares: os portais do Pesar, da Fraqueza e da Idade.

Apenas um laço ainda o mantinha neste mundo, e esse laço era Majnun. O velho *sayyid* não tinha medo da morte. Mas temia morrer sem ver o filho, sem ver a luz de seus olhos ao menos mais uma vez antes de partir. Tinha pouco a deixar — posses materiais não contavam, não tinham muita importância para ele —, mas se entristecia ao pensar que o pouco que possuía poderia pertencer a um estranho, e não à sua própria carne e ao seu sangue.

E assim ele decidiu encontrar Majnun e falar com ele pela última vez. Talvez pudesse fazer o jovem recuperar o bom senso; talvez fosse capaz de persuadi-lo a separar sua alma do deserto, salvar o coração daquela obsessão.

A esperança de ver Majnun mais uma vez era a rocha na qual a frágil existência do *sayyid* agora se apegava; era a corda que o mantinha tenuemente preso à vida deste mundo. E assim, escolheu entre alguns servos e partiu na companhia de dois homens jovens de sua tribo, confiante de que Deus o conduziria à sua meta.

A jornada era traiçoeira até mesmo para os jovens. Eles cruzaram vastas planícies que abrasavam sob o calor feroz do sol. Encontraram ermas passagens nas montanhas, sob os cumes vulcânicos. Foram picados por mosquitos e moscas do deserto, seus pés encheram-se de bolhas com a areia fervente. Moveram-se de oásis em oásis, descansando durante a noite, e pediram notícias de Majnun a todo estranho com que cruzaram durante o caminho.

Depois de várias semanas, parecia que jamais alcançariam a meta. Mas por fim, justamente quando o velho *sayyid* já temia morrer pelo calor, pelo pó e pela falta de esperança em tudo, encontraram um velho beduíno que tinha notícias de Majnun.

"Vocês estão procurando Majnun?", ele disse, arregalando os olhos. "Então posso ajudar, porque sei onde ele está! É um lugar abandonado por Deus, uma caverna do deserto que se assemelha a uma cova nas profundezas do inferno. Eu não os aconselharia a ir até lá — a não ser, quer dizer, a menos que não tenham medo da morte!"

Os jovens companheiros do *sayyid* imploraram que ele voltasse, mas o velho não lhes deu ouvidos. E assim, partiram novamente, dessa vez na direção indicada pelo velho beduíno. Depois de uma jornada de um dia inteiro, chegaram ao seu destino.

O lugar era tão deserto, tão vazio, que fez os viajantes chorarem. E quando encontraram Majnun — ou pelo menos a criatura que acreditavam ser Majnun —, tiveram motivos para chorar um pouco mais. O velho *sayyid* quase não reconheceu no filho um ser humano, quanto mais seu próprio sangue e sua carne. Majnun não passava de alguns ossos unidos por trapos imundos. Andava sobre os quatro membros, como um animal do campo, como algum espírito grotesco do mundo subterrâneo que de vez em quando sobe para assombrar o mundo dos homens. Com o cabelo emaranhado, a pele empastada de sujeira, ele estorcia-se no pó como uma serpente no limiar da morte. Era uma visão que atingiria o mais duro dos corações.

Inundado de amor e pena, de compaixão e pesar, o velho *sayyid* caiu de joelhos e apertou o filho contra o peito. Ternamente deslizou os dedos pela face do jovem e limpou o pó e a sujeira com suas próprias lágrimas. Majnun olhou para o pai, mas não o viu. Quem era aquele velho e por quem ele chorava? Fitou a face de seu próprio pai, mas não o reconheceu de imediato. Como poderia reconhecê-lo quando já não era capaz de reconhecer a si mesmo? Olhou o velho nos olhos e disse: "Quem é você? De onde você é? O que você quer de mim?"

"Eu tenho procurado por você o tempo todo, meu filho", respondeu o velho *sayyid*.

Quando Majnun ouviu o voz do pai, finalmente reconheceu quem era aquele estranho. Abandonou-se nos braços do velho e começou a chorar convulsivamente. O velho *sayyid* beijou as faces do filho e apertou-o tão fortemente contra o peito que o seu coração esteve a ponto de estourar. Durante vários minutos de lágrimas, eles permaneceram abraçados.

Quando se recuperaram, o velho *sayyid* tirou da bolsa um manto da mais suave seda, um bom par de sapatos de couro e um turbante branco de damasco. Não aceitava a idéia de seu filho vaguear como um morto-vivo, como um cadáver ressuscitado do sepulcro em sua nudez no dia do Juízo Final. Era claro que algo tinha de ser feito. Majnun, por sua parte, não desejava as roupas, mas em obediência ao pai vestiu-as.

Então o velho *sayyid* fez o filho sentar-se e começou a falar amavelmente com ele, mas com firmeza:

"Meu bem mais precioso!", ele disse. "Que tipo de lugar é esse em que você descansa sua cabeça? Você realmente escolheu esse inferno como lugar para se esconder? Essa é a forma de pedir para o Destino dar fim à sua existência, dando seu corpo aos animais selvagens? Para que quando você morrer eles possam devorar sua carne e apanhar seus ossos?

"Eu lhe imploro, fuja enquanto ainda há tempo. Até mesmo os cachorros da cidade têm uma vida melhor do que essa que você leva aqui.

"Você foi tão longe por tão pouco? Creia-me, de nada adianta fugir. Fuja você até o dia de sua morte, e ainda assim não chegará a lugar nenhum. Qual a finalidade de todo esse pesar? Que bem isso faz? A quem isso ajuda? Você quer se arruinar completamente?

"Você deve tentar superar o seu pesar; senão, ele irá superá-lo. Irá consumi-lo totalmente, porque você não é invencível.

"Por muito tempo você se rebelou. Agora basta! Você deve aprender a aceitar as coisas como elas são: o mundo não irá mudar por sua causa, especialmente se você virar as costas para ele. Por que você vive entre as feras nesse deserto? Por que se esconde nessa caverna repulsiva, como um demônio poeta que se banqueteia com o seu próprio pesar?

"Tente apartar sua mente de tudo isso; tente pensar em qualquer outra coisa, algo trivial e sem conseqüências. Ria, faça piadas e fique contente; sim, no princípio soará falso, mas logo o riso será verdadeiro! Perdoe-se, perca-se um pouco nos prazeres do mundo.

"E por que não? Assim é a vida. A vida sopra quente ou fria, e você tem de aprender a conciliar essas duas coisas. E quer as promessas que ela faz sejam falsas ou verdadeiras, você deve aprender a desfrutar de cada momento da forma como ele se apresenta. Você tem de aproveitar o dia, pois ninguém sabe o amanhã. Desfrute do que você tem agora! Recolha agora o que semeou! Porque o seu dia é hoje: o amanhã pertence à morte, e somente a ela.

"Nada conta senão aquilo que você alcançou até agora: a mulher apenas pode usar as roupas que possui, o homem apenas pode colher aquilo que plantou. Se você espera alcançar grandezas na vida, tem de começar hoje.

"Você deve tratar a vida como se ela estivesse na sua porta neste exato momento; então, quando a morte chegar, você não terá medo algum. Pois talvez só os que 'morrem' antes de morrer escapem das mandíbulas da morte."

O velho limpou uma lágrima da face do filho e continuou: "Todos os pesares devem cessar um dia. Dê um fim a esse sofrimento agora. Venha para casa comigo. Você é um espírito do mal, um demônio, ou você é um homem? Se é um homem, então deve viver como tal.

"Ó, meu filho! Venha! Seja mais uma vez meu companheiro durante o pouco tempo de vida que me resta. Meu dia está acabado. Para mim, a noite está se aproximando. Se você não vem comigo hoje, amanhã não me encontrará mais. Tenho de partir, e você deve vestir o meu manto e continuar em meu lugar. Logo meus sofrimentos terão terminado, e eu estarei em paz, graças a Deus.

"Meu sol está se pondo com rapidez, ofuscado pelo pó de um longo, longo dia. A escuridão acena, a brisa noturna está esperando para levar minha alma para sempre. Venha, meu filho, enquanto ainda temos um pouco de tempo para compartilhar. Venha e tome meu lugar, porque ele pertence a você e a mais ninguém."

31

No princípio, Majnun obedeceu ao desejo do pai. Por vários dias descansou, comeu, bebeu e vestiu-se com as roupas apropriadas, como uma pessoa comum; abandonou seus sonetos e suas odes e ouviu com atenção o pai, sempre que ele falava do iminente retorno à civilização.

No entanto aquilo era uma ilusão do princípio ao fim. Majnun quis tanto agradar ao pai, que teria concordado com qualquer coisa. Mas, no fim, a vergonha de mentir subjugou-o. Ele voltou-se para o pai e disse: "Você é o sopro que deu vida à minha alma, e ainda me dá vida. Eu sou seu criado, pronto a obedecer-lhe. Mas há uma coisa, querido pai, que não posso fazer. Não posso mudar o que o Destino decretou.

"Querido pai! O seu destino é uma moeda cunhada em sabedoria; o meu é uma moeda cunhada no amor! O seu é o idioma sóbrio da razão; o meu é a selvagem linguagem inarticulada de um homem transformado em louco pelo desejo! E assim é, não pode ser mudado.

"Você não consegue ver que eu esqueci meu passado? As páginas de minha memória estão todas em branco, as palavras foram apagadas. Não sou mais o homem que eu era. Se você me pedir que lhe conte o que aconteceu, não posso lhe contar, porque não lembro. Sei que você é meu pai e eu sou seu filho, mas isso é tudo. Não me lembro nem mesmo de meu nome..."

Suas palavras cessaram e, por um momento, ele parecia estar perdido em seus pensamentos. Pela primeira vez, agora, entendia perfeitamente o que o Destino havia decretado para ele. E prosseguiu: "Na verdade, querido pai, você é um estranho para mim, mas não fique triste ou surpreso com isso. Porque também sou um estranho. Sou um estranho para mim mesmo. 'Quem é você? Qual o seu nome? Você está apaixonado? Por quem? Você é amado? Por quem?' Um fogo queima em minha alma, um fogo tão feroz que consumiu minha saúde, reduzindo-a a cinzas. E agora estou perdido num deserto que eu mesmo criei.

"Você não percebe que fiquei tão selvagem quanto tudo aquilo que me cerca, tão selvagem como as feras que você vê aqui? Como, então, posso voltar ao mundo civilizado? Sou um estranho para eles, e o mundo deles é estranho para mim. Não tente me fazer voltar, pai, porque não vai dar certo. Jamais daria. Eu seria um fardo para você e um perigo para os outros. Meu lugar é aqui, onde causo menos danos.

"Se você pudesse simplesmente esquecer que eu já existi! Se você pudesse me apagar da memória e esquecer que você um dia teve um filho! Se você pudesse enterrar-me aqui, então poderia pensar: 'Aqui descansa algum pobre louco, algum bêbado possuído que colheu o que plantou e o que mereceu.'

"Querido pai! Você diz que seu sol está se pondo e você tem de partir. E que é por isso que veio me resgatar. Mas meu sol também está se pondo, porque estou caminhando inexoravelmente para a morte. Você poderia dizer até mesmo que a morte está dentro de mim e que me consome. Se é muito tarde, é muito tarde para nós dois. Quem sabe, talvez, minha partida preceda a sua. Eu já morri por dentro e nada tenho feito além de matar vocês de tristeza. Então, não permita que os mortos pranteiem os mortos."

32

Depois que ouviu essas palavras, o velho *sayyid* entendeu claramente que Majnun já não era mais dele. O pobre demente era um prisioneiro do amor numa fortaleza escura, de onde ninguém poderia libertá-lo.

O velho tomou Majnun em seus braços e disse: "Meu querido filho! Você se consome em seu pesar e farta-se com seu próprio sangue. O que devo fazer com você? Você é minha dor — mas é também o meu orgulho. É claro que não há mais nada que eu possa fazer para persuadi-lo a vir comigo. Assim, partirei. Vou deixá-lo e voltar para a minha cidade, partirei deste mundo para sempre.

"Abrace-me bem apertado, filho querido! Vê como nossas lágrimas correm e tornam-se um rio? Essas lágrimas irão me banhar para que eu parta pela estrada refrescado. Abrace-me forte, meu bem mais querido. Temo que esses últimos poucos minutos com você irão servir de alimento para minha jornada. Arrumei minhas coisas e estou pronto para partir. Andando, andando — o homem está sempre se movendo! E assim deve ser.

"Adeus, meu filho! Nunca mais irei vê-lo neste mundo. Adeus! O barco que me espera está pronto para velejar sem retorno. É estranho: já sinto minha alma libertando-se! Adeus, meu querido menino! Nunca mais nos encontraremos neste mundo."

Majnun ficou a observar como o velho *sayyid* e seus dois companheiros de viagem partiam pelas areias. Sabia que o pai havia falado a verdade, que eles nunca mais iriam se encontrar novamente — pelo menos não neste mundo. E de fato: apenas dois dias depois de retornar o velho faleceu, e sua alma e seu espírito libertaram-se afinal.

Cada alma é como um clarão de luz, nascido para brilhar por um breve momento antes de desaparecer para sempre. Nesse reino, tudo é destinado a perecer; nada é feito para durar. Mas se você "morre" antes de morrer, voltando as costas para o mundo e para a face de Jano, você irá alcançar a salvação suprema da vida eterna. Está em você: você é seu próprio destino, e tudo o que é ou será está dentro de você. E, no fim, o bom se unirá ao bom, o mau se juntará ao mau. Seu segredo é gritado do topo das montanhas. Quando o eco retorna, você reconhece essas vozes como suas...

33

Nesse tempo, aconteceu que um caçador da tribo de Amir estava espreitando os cervos do deserto nas vastidões do Najd quando se encontrou com Majnun. Naquele momento, Majnun não era a sua presa, mas a língua do caçador era mais afiada do que qualquer faca. Ele gritou: "Então é aqui onde você se esconde. Laila é a única pessoa em sua vida que significa algo para você? Você não tem pensamentos para a mãe que o deu à luz, que o fez crescer, nutriu e cuidou de você com a solicitude terna que só existe no coração de uma mãe? É assim que você retribui a generosidade dela, abandonando-a?

"E seu pai? É verdade, ele estava vivo quando você o viu pela última vez, mas agora o fardo de seu pesar levou-o ao sepulcro. Diga-me uma coisa: você desfruta a sua vida sabendo que a dele está acabada? Você pensa nele? Em seu egoísmo, você enterra-se vivo nesse deserto quando deveria se ajoelhar no sepulcro de seu pai, pedindo o seu perdão. É claro que você está mergulhado demais em suas próprias emoções para pensar em prestar a última homenagem a ele. Que criatura patética é você! Um filho como você estaria melhor morto do que vivo. Aí, então, pelo menos o luto dos que o amam teria algum significado."

A crítica comovida do caçador cortou fundo o coração de Majnun, como uma lâmina incandescente. Os nervos de seu corpo de repente ficaram como as cordas de uma harpa nas mãos de algum músico louco;

sua cabeça pendeu para um lado, seus braços agitaram o ar e suas pernas dobraram-se. Com um gemido terrível de dor, ele caiu de rosto no chão, batendo repetidamente com a cabeça na terra pedregosa, até o sangue entrar por seus olhos e misturar-se com suas lágrimas.

A jornada até o túmulo do pai era muito difícil, levando vários dias e noites e exigindo muito sofrimento, mas Majnun não se importou. Quando avistou a lápide do pai, mais uma vez foi dominado pelo pesar e aproximou-se soluçando do pé do sepulcro. O velho fora incapaz de salvá-lo, mas pelo menos tinha compartilhado do sofrimento de seu filho. A dor de Majnun tinha sido também a sua dor, e as lágrimas dos dois haviam se tornado um único rio. Mas agora as lágrimas de Majnun cairiam sozinhas.

Destroçado pela dor, Majnun arranhou a terra e implorou a seu pai por alguma resposta, algum sinal. Ele clamou com uma voz dolorosa: "Ó pai! Onde você está agora? Durante tantos anos você cuidou de mim, me alimentou e me deu apoio, e agora está tudo acabado! Você era a minha rocha, e agora você é pó; você era meu apoio, e agora você é cinzas. Para quem posso me voltar, agora que você deixou o reino da vida e entrou no reino da morte? Você sempre esteve presente, embora tudo que eu lhe desse fosse dor e aflição. Como eu gostaria de tê-lo feito feliz sendo sempre o filho que você sonhou ter. Em vez disso, eu o torturei e o enviei ao sepulcro mais cedo. E agora estou torturado por essa separação, pela solidão indescritível que sinto, agora que você se foi. Sem você não sou nada. Por que fui deixá-lo partir sozinho? Não me castigue, pai, porque sei melhor do que ninguém o quanto o decepcionei. E se eu cubro minha face com a terra de seu sepulcro não é só porque desejo estar perto de você, mas também porque desejo esconder minha vergonha.

"Sei que você queria o melhor para mim, mas rejeitei e repeli sua mão amiga. Quando você era gentil e solícito, eu fui duro e insensível; quando você me ofereceu carinho, respondi com nada mais que indiferença. Mil vezes você sofreu, mas nem uma vez sequer vim em sua ajuda. Você fez um quarto para mim, preparou uma cama onde eu pudesse descansar, mas recusei. Você me ofereceu uma mesa farta de comida, mas tudo o que fiz foi dar as costas a isso tudo e fechar meus olhos para sua generosidade.

Você colocou o mundo a meus pés, mas tudo o que pude fazer foi dar um pontapé nesse mundo. Tudo isso eu sei, querido pai, e não consigo nem ao menos falar o quanto isso me dói. Tudo o que deixei foi dor sem alívio, lamento sem fim, tristeza sem consolação. Você criou um ninho aconchegante para mim num canto de seu coração; agora, o Destino lacrou esse ninho, e aqui estou eu tentando alcançá-lo! Como isso pode ter acontecido? Um dia estávamos juntos, e agora você se foi — mas eu ainda estou aqui! Como pode ser assim? Ó, Senhor Deus, como é grande o meu pecado! Como é profunda a minha culpa! Ó, Senhor Deus, a culpa é toda minha e o pesar é todo meu!"

E assim ele se lamentou, arranhando selvagemente o próprio peito, como se estivesse tentando rasgar a pele e arrancar seu coração com as mãos. A noite caiu e a escuridão cobriu-o, cobrindo-o em seu desespero, negro sobre negro. Somente com o amanhecer, quando a nova rosa do sol, num céu de lavanda, difundiu pó de ouro nos cumes das montanhas, Majnun deixou a tumba do pai. Humilhado e só, ele retornou mais uma vez às cavernas e aos desfiladeiros do Najd.

34

Depois da morte do pai, Majnun sentia uma necessidade ainda maior de agarrar-se ao deserto e à sua vida de isolamento. Como um leão montês, ele escalava as pedras íngremes e explorava os desfiladeiros e as gargantas selvagens onde nenhum ser humano jamais colocara os pés. Movia-se impacientemente de um lugar para outro, como se estivesse procurando algum tesouro escondido, os olhos movendo-se bruscamente, e o coração batendo como um tambor.

O verdadeiro objeto da procura de Majnum, claro, era Laila. Ele buscou-a em todos os lugares, na esperança de encontrá-la em algum.

Sim, Laila era o tesouro que ele estava buscando. Ela era a pedra preciosa de beleza inigualável que o levara a perder a cabeça e forçara-o a refugiar-se num lugar quase tão inóspito quanto o Inferno. Ele fora impelido a deixar sua casa pelo desejo de ter uma casa com ela. Dia e noite, as chamas desse desejo queimavam dentro dele. Sempre que via barracas e fogueiras de acampamentos, era atraído até eles como se fosse uma mariposa, como se de algum modo inexplicável essas barracas e fogueiras fossem manifestações de sua amada.

Agora Majnun era famoso entre os árabes — que homem não seria, com os versos de Majnun? —, e assim, certa feita, quando se deparou com um grupo de pessoas que o conheciam, ele não ficou nem um pouco surpreso. Observaram-no enquanto ele abraçava o próprio corpo, os olhos fechados como que em oração, cantando um verso que exaltava a beleza de Laila. De repente, um pedaço de papel trazido pelo vento caiu aos pés de Majnun. Nele estavam escritas as palavras "Laila e Majnun". Alguém, em algum lugar, escrevera os nomes dos amantes, como que a celebrar o amor e a lealdade entre eles.

A multidão imediatamente cercou Majnun, num burburinho de admiração diante desse sinal maravilhoso, mas logo o assombro virou incredulidade. Majnun rasgou o papel em dois! Pegou a metade em que estava escrito "Laila", amassou numa bola e lançou sobre seu ombro; a parte com o próprio nome, ele conservou consigo. Ouviram-se gritos de surpresa. Certamente esse não era o comportamento digno de um amante. Uma voz gritou: "O que você quer dizer com essa atitude? Que tipo de comportamento é esse? Uma vez, pelo menos no papel, você e sua amada estiveram unidos, e agora você separou-se dela e jogou-a ao vento. Explique-se!"

Majnun sorriu. "Você não percebe", ele disse, "que um nome é melhor do que dois? Porque um é suficiente para ambos. Se você soubesse a realidade do amor, veria que quando se descarta um amante encontra-se a amada. Você entende?"

Mas é claro que eles não entenderam. "Você diz que um nome é o bastante para os dois", eles disseram, "e realmente pode ser assim. Mas se é esse o caso, por que você jogou fora o nome de Laila, e não o seu nome?"

"A resposta é simples", respondeu Majnun. "Pode-se ver a concha, mas não a pérola dentro dela. Você não entende? O nome é uma concha e nada mais. O que importa é o que as conchas escondem. Eu sou a concha, e ela é a pérola. Eu sou o véu, e ela é a face que está oculta sob ele."

35

Ainda falando sobre sua amada, Majnun deixou as pessoas e suas tendas para trás e voltou para o lugar de onde viera. Ardia de amor, queimava como um carvão em brasa. Como sempre, aquele carvão iria se transformar em chamas, chicotear sua língua e soltar torrentes de palavras que fluiriam de seus lábios, em versos que ele encadearia como um rosário de pérolas. E ele iria dispersar os versos ao vento, para que se difundissem e caíssem em profusão — farta colheita para os apaixonados e para os amantes da poesia, que os ouviam e passavam adiante. Majnun era muito perdulário em sua arte, mas o que importava? Ele não era rico? Não era livre para fazer o que bem entendesse?

Para os outros homens, Majnun era agora pouco mais que um selvagem, uma fera bravia digna de pena, sufocada em seu próprio isolamento e sua degradação. Mas ele não estava só: até mesmo um "louco" tem amigos. Os amigos de Majnun eram os animais; as bestas que vagavam de deserto em deserto eram seus companheiros, e ele não podia desejar melhor amizade.

Majnun havia entrado no mundo dos animais do deserto como um estranho, mas eles aceitaram-no imediatamente. Pois Majnun tinha vindo em paz. Não viera caçá-los ou aprisioná-los para mutilar ou matar. Não tinha rastejado nas cavernas e nas guaridas dos animais como um inimigo violento, mas como um convidado agradecido. Eles não tinham conhecido mal algum que viesse das mãos dele, e assim respeitavam-no.

É claro, talvez os animais pensassem que Majnun fosse um deles, mas isso só em parte era verdade. Os bichos souberam instintivamente que ele era diferente dos outros homens. Possuía um poder muito especial, um poder que não tinha relação com força física ou presas afiadas, como o leão, o puma ou o lobo do deserto. O poder de Majnun — a fonte desse poder sobre os animais — residia no fato de que ele não matava coisas menores do que ele mesmo. Não era um predador, e os animais sentiam-se seguros com ele.

Embora, no princípio, eles não o entendessem. Que tipo de criatura era aquela que poderia ter facilmente matado outras para comer mas não o fizera? Por que ele era assim? Quem poderia entender a mente de um ser assim? Ele alimentava-se de raízes e de frutos — e mesmo assim escassamente — e não dava qualquer demonstração de medo quando era cercado por feras cujas presas poderiam facilmente tê-lo rasgado em pedaços até se saciar com seus ossos. Mesmo assim, nem uma única vez foi atacado. Para surpresa de todos, Majnun nunca foi ameaçado ou intimidado por qualquer uma das bestas do deserto. Os animais acostumaram-se logo com aquele ser estranho do mundo dos homens. Sempre que o avistavam, ou sentiam o cheiro dele na brisa, vinham todos trotando ou correndo, rastejando ou voando, para se reunir ao redor dele. Logo, Majnun tinha uma vasta coleção de animais de todo tipo e tamanho. Na presença dele, os animais pareciam estar sob uma espécie de encanto, porque eles esqueciam suas naturezas selvagens e tornavam-se dóceis e amigáveis. Assim, eles se aproximaram tanto de Majnun que finalmente começaram a protegê-lo como verdadeiros guardas reais, enquanto ele dormia. Primeiro, um leão ficava junto dele, como um cão pastor que guarda seu rebanho. Outros bichos seguiram-no — veados, lobos, linces, pumas e raposas do deserto —, e logo Majnun não podia ter cinco minutos de descanso sem que o lugar se transformasse num acampamento de animais do deserto.

Nessa corte de feras, Majnun era o rei, um verdadeiro Salomão que reinava com sabedoria e compaixão. Era um rei de bondade e amor; um rei que nunca tiranizou seus vassalos, nem os oprimiu com impostos, ou forçou-os a sacrificar suas vidas ou a derramar o sangue de outros por alguma guerra insensata.

Guiados pelo exemplo de seu mestre, os animais aos poucos foram perdendo sua sede de sangue e seu desejo de matar. O lobo já não atormentava o cordeiro, o puma ajudava a gazela, a leoa amamentava o filhote órfão da corça, e a raposa selou um tratado de paz com a lebre. O exército de bestas que acompanhava Majnun onde quer que ele fosse era um exército calmo, um exército cheio de amor, compaixão e fraternidade.

O amor abnegado de um animal por seu mestre muitas vezes ultrapassa em intensidade o amor de um ser humano por outro. Os animais companheiros de Majnun estavam dando exemplos de amor abnegado. Toda vez que Majnun desejava dormir, por exemplo, a raposa do deserto varria o lugar com seu rabo, limpando-o dos espinhos, enquanto a mula selvagem oferecia seu pescoço como travesseiro. Então, enquanto Majnun estava dormindo, o leão mantinha guarda a seu redor, pronto a atacar qualquer inimigo, enquanto o lobo e o puma vigiavam o acampamento para protegê-lo das visitas inoportunas ou de intrusos. Cada fera fazia o seu papel, observando e protegendo Majnun com uma sinceridade de intenções que tocou o coração do rapaz.

Quanto mais ele se acostumava aos seus companheiros animais, menos via outros seres humanos. Aqueles que o visitaram em seu esconderijo no deserto temiam as companhias que ele tinha e abominavam a idéia de visitá-lo novamente. E quando Majnun aparecia em algum acampamento ou oásis com os seus animais, as pessoas fugiam correndo. Sempre que um estranho se aproximava de Majnun para falar com ele, os animais mostravam os dentes e começavam a grunhir e a rugir até que o mestre os aquietasse e acalmasse suas suspeitas. Só assim os visitantes permaneciam incólumes. Os que vinham somente zombar de Majnun, ou ofendêlo de alguma forma, eram freqüentemente forçados a uma fuga veloz, para que dentes, presas e garras afiadas não os rasgassem em pedaços.

Alguma vez a história conheceu um mestre como Majnun? Pode ter havido tal pastor e tal rebanho? Quando a história de Majnun e seus novos companheiros chegou até as pessoas, elas acharam difícil acreditar. Não estariam bichos e homem apenas reescrevendo algum velho conto de fadas, alguma lenda de tempos atrás? Muitos não conseguiam crer, até que vissem com seus próprios olhos, e assim atravessavam as vastidões do deserto para ver de perto. Quando encontravam Majnun acompanhado de suas leais bestas do deserto, muitas vezes ficavam sem palavras, sem saber o que pensar ou dizer. Em muitos casos, a surpresa misturava-se à piedade; sabendo que fora o amor que reduzira Majnun a tal existência, eles traziam comida e bebida para ele, tentando aliviar sua angústia do único modo que lhes era possível. Embora Majnun aceitasse os presentes, ele mesmo não comia nada, e preferia dar a comida a seus amigos animais. E como ele era bondoso, as bestas também tornaram-se bondosas.

36

Não é verdade que os animais refletem o homem? Os atributos presentes nos animais da terra não são simplesmente um eco da natureza humana? Pense nisso, caro leitor, enquanto divagamos por algum tempo...

Havia um rei, governador soberano de Marv, que possuía uma enorme quantidade de cães de guarda. Porém eles não eram cães de guarda comuns. Vamos dizer que eram como demônios atrelados, verdadeiros cães de caça do inferno.

Cada cão possuía a força de um puma, e suas mandíbulas eram fortes o bastante para arrancar a cabeça de um camelo com uma mordida. Por que o rei mantinha tais feras?

A razão era simples. Quando alguém perdia as graças do rei ou de algum modo provocava sua ira, ele lançava o ofensor a esses cachorros para que eles então rasgassem o infeliz em pedaços e devorassem sua carne.

Mas entre os cortesãos do rei havia um homem jovem de considerável sabedoria e inteligência, mestre nas artes da diplomacia e da etiqueta. Ele sabia, é claro, da existência daquelas bestas satânicas e o propósito ao qual elas serviam.

Também estava informado, como seus companheiros, de que o rei era um homem irascível, de um temperamento mercurial.

Os que eram favoritos do rei, um dia, de repente descobriam-se em desgraça, geralmente sem qualquer razão aparente. O humor do rei era tão imprevisível quanto o céu na primavera. "O que aconteceu aos outros", argumentava o jovem, "poderá facilmente ocorrer comigo também."

E ele passava noites insones, pensando sobre o destino horrendo que lhe poderia estar reservado. O que fazer?

Finalmente, o jovem bolou um plano. Sempre que surgia a oportunidade, ele passava pelos canis onde os demônios em forma de cão estavam enjaulados. Lá ele conversava por algum tempo com os guardiões e lhes trazia pequenos presentes a fim de ficar conhecido e ganhar a confiança deles.

Então começou a segunda parte de seu plano. Sua amizade crescente com os guardiões dos cachorros abriu um caminho para ele fazer amizade com os próprios cães.

Quase todos os dias ele trazia pedaços de carne para eles. Às vezes, quando conseguia ter maior acesso à cozinha real, trazia uma ovelha ou uma cabra inteira para os cães.

Aos poucos, ganhou a confiança e a amizade dos cachorros. Em pouco tempo, eles tinham ficado tão acostumados às visitas dele que saltavam e uivavam de prazer sempre que ele se aproximava.

De sua parte, o jovem tinha superado o medo. Acariciava os cães e brincava com eles como se fossem gatinhos. Esse era o objetivo desde o início, é claro.

Um dia, sem qualquer razão aparente, o rei zangou-se com o jovem, e aconteceu o que este temia.

Chamando seus guardas, o rei ordenou que o jovem fosse lançado aos cães. Depois de amarrar as mãos e os pés do jovem infeliz, os guardas arrastaram-no até o canil e atiraram-no aos cães, trancando o portão atrás deles.

E então ficaram esperando pelo ataque das bestas malignas.

Mas, é claro, nada aconteceu. Os seres humanos nem sempre podem retribuir generosidade com generosidade, mas os cachorros — mesmo quando indóceis — certamente retribuem, e assim que eles reconheceram o jovem como aquele que lhes dava presentes e atenção em abundância correram até ele e começaram a lamber suas mãos, num espetáculo terno de afeto.

Então eles se sentaram em círculo ao seu redor, prontos a protegê-lo do perigo. Nem mesmo os ossos mais suculentos e os grossos pedaços de carne lançados pelos seus guardiões conseguiram desviar a atenção que punham sobre o amigo.

Os guardas do rei olhavam-se surpresos. Tinham vindo encher os olhos com um banho de sangue. Em lugar disso, eram testemunhas de uma exibição comovente de afeto entre homem e feras.

Incapazes de acreditar no que estavam vendo, os guardas gritaram com os cachorros e ordenaram-lhes que atacassem, mas os gritos não surtiram efeito.

Assim que o sol se pôs atrás das montanhas, envolvendo os cumes cobertos de neve com um manto vermelho-ouro, o rei sentou-se em seus aposentos, e agora sua raiva diminuíra consideravelmente.

De fato, estava começando a sentir pontadas de remorso por ter agido assim tão irresponsavelmente, por destruir a vida de um homem jovem quase sem razão alguma.

É claro, ele ainda não sabia o que acontecera no início daquele dia no canil, e nenhum de seus cortesãos tinha ousado contar-lhe.

Como a noite passou, ele ficou mais preocupado ainda. "Por quê?", ele gritou com a voz chamejante. "Por que ordenei que aquele jovem inocente fosse lançado aos cães? Por que agi tão apressadamente? Vão agora, vão e tragam notícias para mim. Vão e vejam o que aconteceu ao pobre miserável."

Os cortesãos correram aos canis e retornaram com um dos guardas. Ordenaram que ele informasse o rei de tudo.

Naturalmente, o guarda teve medo de contar exatamente o que tinha visto naquele dia. Como poderia confessar que o jovem condenado havia escapado da morte certa por demonstrar afeto aos cães de caça do inferno e por tê-los conquistado com presentes?

E assim ele se aproximou do rei, curvou-se e, com a voz trêmula, disse: "Vossa Majestade! Esse jovem não pode ser humano; na verdade, eu digo que ele deve ser algum tipo de *jinn* ou de anjo para quem Deus em Sua compaixão operou um milagre.

"Vinde, Vossa Majestade, e vede com vossos próprios olhos! Ele está sentado no meio do canil, cercado pelos cachorros. E o que fazem eles? Em vez de rasgá-lo membro a membro, eles esfregam-se afetuosamente nele e lambem seu rosto!

"Isto não é um milagre? Não é um sinal de Deus? Eles não são animais comuns — são mais demônios do que cães —; contudo, na presença daquele jovem, são como gatinhos brincalhões."

O rei saltou de seu trono e deixou seus aposentos, apressando-se pelo pátio do palácio em direção aos canis.

Ao ver o milagre com seus próprios olhos, o rei começou a chorar. E quando os guardas retiraram o jovem para fora da jaula, o rei, soluçando violentamente, abraçou-o e implorou o seu perdão.

Vários dias depois, o rei pediu que trouxessem o jovem aos seus aposentos reais, para que pudessem falar em particular.

Como não acreditasse em milagres como aquele, o rei estava ansioso para saber o que realmente acontecera na jaula, e por que o jovem não havia sido dilacerado como tantos outros antes dele. "Diga, meu jovem: por que meus cachorros não o mataram? Qual é o seu segredo?"

Quando o jovem contou sua história, os olhos do rei arregalaram-se e ele balançou a cabeça, incrédulo. O jovem respondeu-lhe:

"É verdade que vossos cachorros ficaram meus amigos e pouparam minha vida por causa de alguns ossos e restos de carne. Eu demonstrei a eles um pouco de generosidade, e eles retribuíram salvando minha vida.

"Mas e Vossa Majestade? Servi-vos lealmente durante dez anos — a maior parte da minha vida —, e vós sabeis muito bem disso. Mesmo assim, estáveis pronto a me ver despedaçado pelos vossos cachorros por causa de alguma falha trivial de minha parte que vos desagradou.

"Porque vos aborreci por alguns momentos, Vossa Majestade deu ordens para me matarem! Dizei, então, quem é um amigo melhor: Vossa Majestade ou vossos cães de caça do inferno? Quem merece meu respeito: Vossa Majestade ou vossos cães demoníacos?"

O jovem falara com considerável ousadia e coragem, mas o rei não se enfureceu. Pelo contrário, o rei ficou humilhado.

Estava claro que a experiência era um teste de Deus para tudo o que acontecera, e que havia uma lição a ser tirada do episódio. O rei decidiu nunca mais agir por capricho e jamais lançar pessoas inocentes aos seus cães de caça; em vez disso, tentaria domesticar a fera que habitava em sua própria alma.

Bem, já divagamos muito. Mas e Majnun? Ele não era amável com os animais porque tinha medo deles, mas sim porque a generosidade fazia parte de seu ser. Não podia ajudá-los, mas tratava-os com respeito e compaixão.

Assim, as feras que se agregaram ao redor dele vieram a amá-lo tanto quanto ele as amou. Sua lealdade com Majnun era forte, como ainda vamos ver. Os animais permaneceram com ele até o fim.

O significado desta fábula é fácil de se alcançar? Você entende o que isso significa, querido leitor? Significa que, se você também seguir o exemplo de Majnun, você não terá de sofrer os tormentos e as misérias deste mundo passageiro.

37

A lua era uma esfera prateada brilhante, enquanto no horizonte Vênus ardia. Estrelas cadentes arremetiam-se em direção à Terra como lanças ardentes atiradas por mão divina, enquanto as estrelas tremeluziam como se fossem manchas incontáveis cerzidas no manto índigo do céu.

Majnun olhava atentamente os céus, vagueando os olhos de planeta em planeta, de estrela em estrela. Qual deles deveria ser invocado? Qual deles viria em seu auxílio?

Quando seus olhos esquadrinhavam o horizonte, ele viu Vênus e gritou: "Ó, Vênus! Você é a luz guia para todos os que buscam a felicidade nesse mundo. Musa de poetas e cantores, em suas mãos está a chave para o sucesso. Você é o selo real no sinete do rei, você é a rainha no palácio secular da prosperidade, você é a estrela-guia dos amantes. Suas doces palavras em lábios de rubi são como presentes. Os que fazem parte do seu círculo e bebem de seu vinho são perfumados com âmbar gris. Deixe-me fazer parte de seu círculo também e derrame suas bênçãos sobre mim! Abra o portão da esperança: não me deixe morrer esperando! Minha alma está doente, e só você sabe a cura. Deixe a brisa noturna trazer o perfume agradável de minha amada para mim enquanto ainda há tempo!"

Depois que suplicou a Vênus, Majnun virou-se para Júpiter. O planeta não poderia ajudá-lo também? Majnun disse: "Ó, Júpiter, estrela da felicidade! Você é uma alma leal, porque sempre mantém sua promessa. Você carrega justiça e eqüidade; em cada reino você deixa sua marca, porque você é a estrela dos governantes e legisladores. Você determina quem será vitorioso; a pena do Destino está em suas mãos! O futuro do cosmo inteiro depende de você! Mantenha a fé junto a mim, pois meu coração obtém toda a força de você. Não feche seus olhos para mim nessa hora de necessidade!"

38

Majnun invocou planeta por planeta, estrela por estrela, mas não recebeu resposta alguma. Os céus permaneceram calados, e a alma de Majnun gelou diante da insensível e fria beleza glacial dos astros. Os corpos celestes seguiram seus caminhos, desinteressados da situação de Majnun, inconscientes de sua aflição. Por que se preocupariam? Por que deveriam se interessar em ajudá-lo?

E então Majnun percebeu. Pela primeira vez tudo ficou claro. As estrelas não se importaram porque elas não poderiam se preocupar. As estrelas, assim como os grãos de areia sob seus pés, eram cegas, surdas e mudas! O espetáculo delas reluzindo era simplesmente um espetáculo. Sob aquela fachada esplêndida, eram apenas criaturas inanimadas, sem voz ou expressão. O que poderia significar o sofrimento de uma alma humana para elas?

E assim Majnun elevou sua face mais uma vez para os céus, mas agora, não para invocar as estrelas. "Elas são meros vassalos como eu", pensou ele. "E onde há vassalos deve haver um soberano. Se a criação não me responde", cismou ele, "talvez o Criador responda."

Majnun rezou para Aquele que criou todos os seres na Terra e que não necessita de nada. Ele disse: "Ó, Senhor! Posso voltar-me para quem, a não ser para Vós? Vênus e Júpiter são apenas Vossos servos, cumprindo Vossa determinação, enquanto Vós sois a fonte de toda a criação. Vosso conhecimento cerca todas as coisas, enquanto a extensão de Vossa generosidade não pode ser medida. Todo o poder Vos pertence, e não há corrente alguma tão forte que não possais quebrá-la. Sois o Juiz Supremo, o Senhor criador e mantenedor de todos os seres. Por maior que seja algo neste mundo, só o é por Vossa causa. Vós sois Aquele que vem em ajuda dos que estão necessitados. Somos todos prisioneiros acorrentados — todos nós —, e ninguém mais pode nos ajudar além de Vós.

"Os sete céus e tudo aquilo que existe nesse lugar Vos pertencem. Todos os seres — sejam grandes ou insignificantes — curvam-se ao Vosso comando.

"Ó Senhor! Que me fizestes do barro, oco, escuro e pesado, e assoprastes de Vosso próprio espírito a vida em mim. A vida vem de Vós, pois sois quem tem o poder para espantar a morte. Esta noite eu estou diante de Vós como um ser que vive e respira, é verdade, mas também como um ser cuja alma morreu. Só Vossa clemência pode me salvar agora; só Vossa graça pode me salvar da perdição eterna. Só Vossa compaixão pode transformar minha escuridão em luz, minha noite em dia."

Quando Majnun terminou sua oração, sentia-se tomado por uma plena sensação de serenidade. Já não mais sentia a necessidade de esquadrinhar os horizontes ou de espiar o céu noturno. Seu coração já encontrara um lugar para repousar, quando o sono furtivamente entrou em seus olhos, sem que ele percebesse. E logo estava sonhando, e em seus sonhos ele viu coisas estranhas:

Acima do solo, à sua frente, de súbito apareceu uma árvore que começou a crescer. Rapidamente ela desenvolveu-se diante de seus olhos, até ficar mais alta que ele. E continuou crescendo em direção ao céu, e Majnun notou um pássaro empoleirado num dos galhos mais altos. Algo em seu bico reluzia. O pássaro deixou a árvore e pairou por algum tempo sobre Majnun. Então abriu o bico e soltou um objeto brilhante, uma jóia, que caiu diretamente sobre a cabeça de Majnun. E ali permaneceu como o adorno brilhante de uma coroa real.

Majnun despertou justamente quando o sol estava nascendo. O sonho precioso havia desaparecido, mas todo seu ser encontrava-se agora cheio de um sentimento de felicidade e de alegria interior. Há muito tempo ele não se via tão confortável e calmo assim. Seu corpo sentia a luz, como se ele tivesse o poder de voar. A alma estava a ponto de alçar vôo? Seria toda essa súbita explosão de felicidade causada por um simples sonho?

39

Muitas vezes um sonho é tão real, tão cheio da luz da verdade, que seu fulgor penetra nosso ser inteiro e ilumina nosso despertar. Assim foi o sonho de Majnun. Quando ele acordou, despertou numa manhã cujas possibilidades pareciam infinitas. O ar estava claro como cristal e cheio de um perfume que só poderia ter descido a flutuar do paraíso. Cada brisa era como a respiração de Cristo, enviada para despertar os mortos e alertá-los para a beleza de viver.

O dia, a vida inteira que se estendeu à sua frente, parecia para Majnun um maravilhoso jardim de rosas cheio de magia. Como pôde acontecer de as sementes do infortúnio terem criado raízes em tal solo divino?

A sorte também tinha-se cansado do sofrimento de Majnun. E assim ela foi-lhe devolvendo, passo a passo, a felicidade. Mas seria tarde demais?

Majnun estava sentado na encosta da montanha, num dos pequenos abrigos cercados e protegidos por pedras. Seus animais estavam próximos, como sempre; alguns dormiam, outros mantinham guarda.

De repente, ele viu uma pequena nuvem de pó bem no fundo do vale. Uma cor violeta na luz ocre e pálida da manhã, que se aproximava girando como um dervixe. Lentamente aquilo foi se aproximando até se parecer com um véu que cobre a face de uma mulher. E, da mesma maneira que às vezes é possível perceber a face atrás do véu, Majnun pôde ver que o pó, rodando, escondia um cavaleiro, um cavaleiro vestido de cor violeta escura, cujo corcel movia-se como o vento.

"Quem é ele e o que ele quer?", pensou Majnun. "Não há tenda alguma nem qualquer rota de caravanas por quilômetros ao redor; o que ele está fazendo aqui?" Evidentemente o cavaleiro procurava por Majnun. Este ergueu-se, com o coração batendo de modo selvagem. Poderia ser o mesmo cavaleiro negro montado num camelo que uma vez lhe trouxera as notícias do matrimônio de Laila e Ibn Salam?

O cavaleiro puxou as rédeas do cavalo e desmontou, dando os últimos vinte passos a pé, galgando as rochas com dificuldade considerável. Agora Majnun podia ver que seu visitante era um homem velho, e sua face era-lhe desconhecida.

Majnun levantou a mão para aquietar seus animais que começavam a se mexer e a grunhir. Então avançou para saudar o cavaleiro.

Majnun disse com amabilidade: "Nobre senhor, parece que o senhor se perdeu. Diga-me, de onde o senhor está vindo? Ou talvez tenha vindo aqui para me ver. Não, não pode ser, porque nós somos estranhos, não nos conhecemos. Gosto de sua face, mas meus animais não confiam no senhor: veja como eles grunhem e rosnam. E sinto que não devo confiar no senhor. Como diz o ditado, aqueles que foram mordidos por uma serpente recuarão à mera visão de uma corda! Eu fui mordido por uma dessas serpentes — na verdade, não era uma serpente, era um dragão!

"Algum tempo atrás, outro cavaleiro veio a mim e fincou uma estaca em meu coração. As lascas ainda estão lá e causam-me grande dor. Dessa forma, eu tenho o direito de desconfiar. Se o senhor veio terminar o que ele começou, é melhor ficar em silêncio e dar meia-volta imediatamente."

Ao ouvir essas palavras, o estranho lançou-se aos pés de Majnun e falou alto: "Entre todas as criaturas, você é a mais nobre delas, porque você domesticou as bestas mais selvagens e fez delas suas alegres companheiras! As gazelas aninham-se ao seu redor e lhe dão seu amor, os tigres esbarram em seu corpo com ternura e afeto, e os leões dão cambalhotas com você, como se fossem gatos comprados numa barraca de mercado.

"Por que você e seus animais deveriam temer um velho delicado como eu? Não lhe desejo mal algum. Estou aqui com uma mensagem de sua amada. É uma mensagem secreta, uma carta como ninguém nunca trouxe antes. É dela para você, somente para você. Se você ainda deseja que eu me cale e retroceda sobre meus passos, que assim seja, mas acho que seria melhor deixar-me falar."

Majnun não esperava por essas palavras, e seu coração encheu-se repentinamente de esperança. Tomando o velho pelos ombros, ele disse: "Pelo amor de Deus, fale, homem! Fale depressa e tire-me desta infelicidade!"

O velho continuou: "Sei que o Destino tem sido cruel com você: suas estrelas se comportaram como um rebanho de mulas obstinadas, mas não há razão alguma para você não as domar! Mas primeiro deixe-me contar o que me aconteceu.

"Alguns dias atrás, ocorreu que eu estava passando por um acampamento de tendas perto de um jardim — com um bosque sombrio, um córrego, flores e palmeiras altas. Caminhei durante algum tempo pelo jardim, até que vi alguém sentado, sozinho, totalmente escondido pelas folhagens. Eu digo 'alguém', mas na verdade pensei que encontrara uma estrela que havia caído do céu! O oásis parecia ser o próprio Jardim do Éden, e ela, uma das virgens prometida ao crente.

Um riacho borbulhante corria através do oásis, como os riachos de leite e mel atravessam os céus. Mas quando essa jovem imagem da beleza começou a falar, as palavras verteram tão docemente de seus lábios, e com tal eloqüência, que o riacho deixou de agitar-se e de murmurar, como se também estivesse esperando todas aquelas palavras. E seus olhos, então — bem, o que eu posso dizer?! Até mesmo um leão entraria em transe quando fitado pelos olhos daquela gazela!

"A aparência dela era um dos mais belos livros no qual todas as mais delicadas, as mais bonitas letras de nosso alfabeto tivessem sido escritas. O cabelo estava enrolado como o gancho da letra jota; o talhe era esbelto e flexível como a letra a; a boca era encurvada como um m. Sim, quando você junta essas três letras, elas formam a palavra *jam*, cálice, e é isso o que ela era: um cálice de cristal precioso que reflete os segredos do universo!

"Os olhos dela são narcisos que florescem à superfície de um riacho: olhe profundamente dentro deles e poderá ver os sonhos dela! Mas com essas poucas palavras não posso fazer justiça à beleza da moça, porque essa beleza é como a luz da vida. Mas sua beleza é marcada pela fragilidade que vem de um coração ferido. O sofrimento colocou-a de joelhos. Faz muito tempo que as lágrimas enchem seus olhos, tanto que ela quase não consegue ver."

O velho suspirou profundamente, enxugou uma lágrima dos olhos e continuou: "Acredite, ela casou-se por medo: na verdade, você é a única esperança dela. Enquanto ela falava, as lágrimas nublaram seus olhos; elas eram como um véu que bloqueia a luz do sol. Realmente, era uma visão para tocar o mais insensível dos corações!

"Aproximei-me dela e perguntei-lhe quem era ela e por que estava tão triste. Ela ergueu o rosto, com um tênue sorriso nos lábios vermelhos, e disse: 'Por que você esfrega sal em minhas feridas? Deixe-me dizer-lhe que uma vez eu fui Laila, mas não serei Laila por muito tempo. Agora estou louca, mais *majnun* do que mil Majnuns. Ele pode ser um místico louco, um vagabundo selvagem atormentado pelo amor, mas acredite, meu sofrimento é mil vezes pior!

"'É verdade, ele é um alvo das flechas do pesar, mas eu sou assim também — e ele é um homem, e eu sou uma mulher! Ele é livre e pode contar suas mágoas às montanhas; pode ir aonde bem entender, pode chorar, gritar e expressar seus sentimentos íntimos em seus versos. O que *eu* posso fazer? Sou uma prisioneira e não posso fazer nada. Eu não tenho ninguém com quem falar, ninguém em quem possa confiar. Se eu abrisse meu coração para os que estão ao meu redor, a desonra seria a minha recompensa. O mel se transformaria em veneno na minha boca, e tudo que eu tocasse viraria pó. Quem pode saber o que sinto? Quem pode saber como sofro? Simulo uma face vistosa e cubro meu sofrimento com um fino véu de risos e gracejos, mas a todo momento me consumo — queimando, queimando!

"'O amor grita alto em meu coração: Corra enquanto pode, voe para longe desse corvo que é seu pai, desse abutre do seu marido! E no entanto a razão me previne e diz: Não, voar para longe seria convidar a desgraça. Você deve ficar e se submeter ao seu destino!

"'Oh, uma mulher pode conquistar um herói e pode brandir a espada da morte sobre a cabeça dele, mas quando tudo estiver acabado, ela continuará sendo simplesmente uma mulher oprimida e impossibilitada de agir por conta própria. Uma mulher pode ter sede de sangue e pode demonstrar a coragem de um leão, mas, por honra e dignidade, ela deve agir de acordo com a sua natureza, para que os outros percebam. Então, como não está em meu poder dar fim a meu sofrimento, não tenho outra escolha a não ser me submeter. Não deixam que eu veja Majnun, mas preciso saber o que ele está fazendo, anseio por notícias dele.

"'Como ele passa seus dias e onde ele dorme à noite? O que faz quando vagueia pelas imensidões do deserto e quem são seus companheiros, se é que existe algum? O que ele diz e o que pensa? Se você sabe alguma coisa a respeito dele, prezado estranho, fale-me agora!'

"Estas foram as palavras de Laila. Quanto a mim, mesmo tendo-o conhecido somente hoje, sinto que já sei muito sobre você. Não nasci velho, mas observo o mundo e tudo o que ele tem para oferecer sem cobrar nada. A sua história e de seu amor está em todos os lábios do mundo. Existe alguém mais conhecido do que você entre os árabes? Como isso é estranho e como é cruel: o mundo inteiro sabe sobre você, mas somente a Laila não é permitido saber! É por isso que estive um pouco com ela, para falar sobre você. E, acredite-me, minhas palavras impressionaram-na.

"Eu falei: 'Majnun vive só, como um monge, sem amigos nem família; ele está sozinho com as recordações de seu amor. Os únicos companheiros que tem — dizem as pessoas — são feras selvagens, animais como mulas selvagens e leões monteses que evitam o mundo dos homens. Mas o sofrimento também o destruiu: o amor é uma força muito violenta para ser repelida por uma criatura fraca como o homem, e, assim, Majnun está esmagado, com a mente fraca e doente. A morte do pai deixou-o ainda mais debilitado.

"'Dia após dia, o Destino espalha espinhos no caminho de Majnun, e ele se tornou um poeta que escreve as crônicas de seus próprios infortúnios. Seus versos contam a história de sua vida, e a história da vida dele é uma história de amor e dor. Lágrimas caem dos olhos de Majnun como chuva de uma nuvem na primavera, e quando ele fala sobre seu pai morto, suas palavras poderiam derreter o mais glacial dos corações.'

"Então recitei alguns de seus versos, alguns que eu tinha ouvido no mercado e trazia na memória. Um profundo suspiro escapou dos lábios dela, a cabeça pendeu para o lado, como se ela estivesse a ponto de desfalecer ou morrer. Ela chorou — ó, como ela chorou — até não haver mais lágrimas para derramar. E enquanto chorava, rezava pela a alma de seu pai.

"Ela queria estar com você, agora que você está duplamente só, separado de ambos, dela e de seu querido pai, mas o que ela poderia fazer?

"De repente, ela tomou uma decisão. Apontou ao longe, para sua própria tenda, e disse: 'Você é um homem íntegro, com um coração puro. Confio em você. Agora vou para minha tenda, onde escreverei uma carta para Majnun. Prometa-me retornar amanhã, para que eu possa lhe entregar a carta. Leve-a para ele. Você promete?'

"Eu prometi, e no dia seguinte fui até a tenda de Laila. De luto por seu pai, Majnun, ela usava um vestido azul-marinho; era a mais linda violeta do deserto que eu já vi. Nas dobras do vestido ela escondera uma carta selada. Eis a carta!"

O velho mensageiro tirou a carta da bolsa e entregou-a a Majnun. No princípio, Majnun não demonstrou reação alguma. Encarou o pergaminho em suas mãos como se estivesse sonhando.

Era demais para ele compreender? As palavras de sua amada tinham vindo muito depressa? Era demais para ele suportar?

De repente, Majnun voltou à vida. Era como se houvesse sido apanhado por inúmeros demônios loucos cujas intenções eram deixá-lo em pedaços. O corpo foi sacudido de tal forma que finalmente ele começou a rodopiar como um místico demente. Ele girou tão rápido que se tornou uma mancha, um borrão. Por fim, com o suor vertendo da pele, prostrou-se aos pés do velho.

E ali ele ficou deitado, como um homem vencido, num estupor causado pelo excesso de vinho, completamente tomado por seus sentimentos. Mesmo durante o ataque de loucura a carta permanecera firmemente presa a seus dedos; e assim continuou, mesmo enquanto ficou ali, deitado inconsciente.

E quando voltou a si a carta foi a primeira coisa que viu. Seu coração batia calmamente, e ele então rompeu o selo devagar.

40

A carta de Laila começava com uma prece:

Começo esta carta em nome de um rei que dá vida à alma e alimento ao coração. O conhecimento Dele abrange todas as coisas, e Sua sabedoria é absoluta: Ele vê e ouve todas as coisas — até mesmo as orações das criaturas que não podem falar. É Ele que divide o mundo em luz e escuridão; é Ele quem destina para toda criatura um tempo na terra, para os pássaros no ar, para os peixes nas profundezas do oceano. Ele enfeitou os céus com lantejoulas de estrelas e encheu a terra com pessoas de raças e cores diferentes. Deu para cada homem e para cada mulher uma alma e iluminou cada alma com a tocha da razão, de forma que seus servos pudessem alcançar a salvação.

Então, ela se dirigiu a Majnun:

Este é um pergaminho de pesar, enviado por uma alma agoniada a outra alma sofredora. Vem de mim, uma prisioneira, e é destinado a você, que se libertou das correntes e atingiu a liberdade. Há quanto tempo, meu amor, selei meu vínculo com você? Quantos dias cruéis e quantas noites cheias de lágrimas se passaram desde então?

Como você é agora, meu amor, e como você passa seus dias? Para onde os sete planetas, esses guias divinos, têm conduzido você? Sei que você permanece guardando o tesouro de nossa afeição, e sinto em meu coração que o amor só deriva sua majestade de você. Sei que seu sangue avermelha a terra, do amanhecer ao pôr-do-sol, mas você vive profundamente no coração das montanhas, como uma pedra preciosa presa a uma rocha. Na triste escuridão, você é o verdadeiro santuário do Khizr, a própria fonte da água da vida. É a mariposa que circunda a chama da eternidade; você movimentou os oceanos da existência humana, mas vira as costas para suas tempestades e esconde-se na tumba de sua própria solidão, só, tendo apenas algumas bestas selvagens por companhia. A nenhum dos falatórios contra você, que enviam flechas de repreensão contra o seu coração, você dá importância. Você dirigiu seu olhar para a eternidade. Agora mesmo sua caravana está na estrada para o Futuro.

Eu sei o quanto você se sacrificou. Sei que foi você que queimou totalmente sua própria plantação de cereais, ateando fogo à sua própria colheita. Dedicou seu coração a mim e pôs sua alma à minha disposição, e assim se tornou objeto de falatórios e calúnias. Mas isso não importa. Nós dois não nos importamos com o que os outros pensam ou dizem. Tudo o que lançam contra nós, enfrentaremos juntos: pelo menos eu posso contar com sua lealdade, e você, com a minha. Mas se eu ao menos soubesse o que você está pensando e o que está sentindo! Se eu pudesse ver qual é a sua aparência e o que você está fazendo! Com todo o meu amor e todo o meu coração, estou com você, mas e você? Com quem você passa seu tempo? Na verdade, estou separada de você fisicamente, mas em espírito somos um só.

Sim, é verdade: tenho um marido. Tenho um marido, mas não um amante; ele jamais compartilhou a minha cama. Acredite-me, a situação aniquilou-me tanto que já não tenho forças para alimentar meus pensamentos. Mas asseguro-lhe que ninguém tocou meu tesouro mais precioso: ele permanece fechado como o broto de uma flor encantada que jamais será aberto. E assim ele espera, esse meu marido, atrás de uma porta cuja chave está escondida de sua visão e é proibida para ele.

Sim, ele é um homem de grande fama e nobreza, mas o que significam essas coisas para mim? Comparado com você, meu adorado, ele não é nada. Quando visto de longe, até mesmo um alho silvestre se parece com um lírio; mas se você o cheira, a verdade logo aparece. O alho silvestre sequer é digno de ser colhido!

Oh, meu amor! Como eu gostaria que pudéssemos estar juntos! Mas não podemos. O Destino decretou que temos de permanecer separados, e assim devemos permanecer. Quem sou eu para culpar os desígnios do Destino? Meu coração chora ao pensar nisso.

"Meu querido! Envie-me um cacho de seu cabelo — isso significaria o mundo para mim. Envie-me um dos espinhos que se espalham em seu caminho, e eu o alimentarei até que ele floresça numa rosa diante de meus olhos! Para onde quer que você ande, o deserto se abre em flor: você é meu Khizr, meu mensageiro de Deus, minha água da vida eterna! Eu sou a lua e você é meu sol, e me envia luz de longe; perdoe-me porque minha órbita é diferente da sua e sempre me mantém longe de você.

Soube da morte de seu pai e lamentei mais do que se poderia imaginar. Era como se meu próprio querido pai tivesse morrido. Em consideração à memória de seu pai, eu vesti uma túnica de luto azul-marinho, como uma violeta do deserto, e durante muitos dias as lágrimas não deixaram meus olhos. Você me entende, meu amor?

Eu fiz de tudo para compartilhar seu pesar exceto isso: não fui até você, porque era impossível. Mas o que importa? Como eu disse, estamos separados fisicamente, mas em espírito somos um: minha alma está a toda hora com a sua. Sei o quanto você sofre e como seu coração terno consome-se de pesar. Mas só há um modo de sairmos dessa miséria: paciência e perseverança.

Sim, meu amor: paciência, perseverança e esperança. O que é a vida? Ela não passa de um conto e de um grito, uma estada curta e rápida na estrada da vida que se acaba nem bem começara: os que chegam só têm tempo para desfazer as bagagens antes de serem obrigados a partir! Dizem que os olhos são a janela da alma, e isso é verdade. Mas um homem sábio não deixa os outros olharem por essa janela, meu amor! Você quer que o inimigo ria de nossas lágrimas, que zombem de nossa miséria? Nunca! Um homem sábio deve esconder seu pesar, como uma lagarta esconde-se numa folha, para que os outros não tenham prazer com isso.

Não pense nas sementes que germinam: pense apenas no que delas crescerá. Hoje seu caminho pode estar bloqueado por espinhos e pedras, mas amanhã você colherá figos e tâmaras em abundância! Onde hoje há um broto fechado, amanhã haverá uma rosa. Não se esqueça disso!

E não fique triste! Não deixe seu coração derramar tais lágrimas copiosas de sangue e não pense que você está só e sem amigos neste mundo. Eu não sou sua amiga? Não o ajuda eu estar aqui? É errado, meu amor, queixar-se de estar só. Lembre-se Daquele que o criou. Lembre-se de que Deus é o amigo de todos os que não têm amigos.

Você lamenta por seu pai, e suas lágrimas caem como chuva na primavera, mas lembre-se disso: o pai pode ter ido, mas o filho permanece! A pedra pode ter-se partido e esmigalhado, mas a pedra preciosa que estava presa rolou livremente!

Incontáveis vezes Majnun leu a carta, arregalando os olhos a cada nova leitura. Por muito tempo ele só estava ao lado de si mesmo, tremendo como um broto pronto para estourar em flor. Tudo o que ele dizia era: "Ó Deus, querido Deus!"

Dobrou a carta e sentou-se. Só então as lágrimas começaram a desatar em jorros quentes face abaixo. Ele chorou incontrolavelmente, enquanto o mensageiro observava. Então Majnun tomou a mão do mensageiro e começou a cobri-la com beijos de gratidão. Finalmente, prostrou-se diante do velho e beijou-lhe os pés. Quando se ergueu, havia decidido responder à carta de Laila imediatamente. Mas como? O poeta cujas pérolas de sabedoria eram moeda corrente por toda a terra nunca havia pensado em colocar seus versos no papel. "O que vou fazer?", ele gritou. "Não tenho pergaminho nem pena." Então o velho mensageiro tirou um estojo de couro da bolsa, abriu-o e ofereceu a Majnun tudo o que ele precisava para responder à carta de sua amada: pena, pergaminho, tinta e lacre. "Aqui está", disse ele com um sorriso, "fique à vontade!"

Majnun agradeceu ao velho, sentou-se de pernas cruzadas no pó, com o pergaminho sobre os joelhos. Então, com golpes delicados de pena, começou a escrever. As palavras vinham facilmente, e ele apenas teve de pensar bem o que escrever a seguir. Quanto tempo essas palavras tinham permanecido escondidas em seu coração, nutridas por amor e dor e pelo pesar da separação! Então, ele sondou as profundezas da sua própria alma como um mergulhador, arrancando pérola após pérola, que ele amarrou juntas num colar de letras e palavras, de pontos e curvas, de adornos e arabescos. Pedaço por pedaço, ele pintou o quadro de seu pesar.

Quando acabou, entregou a carta ao velho, que ciente da impaciência de Majnun, montou em seu cavalo sem demora e saiu galopando como o vento. Finalmente, chegou à tenda de Laila e entregou a carta de Majnun para a moça. O coração dela batia como as asas de uma mariposa apanhada numa armadilha. E ela leu do princípio ao fim, com uma névoa de lágrimas motivadas pelas ternas palavras que seu amado escrevera.

41

A carta de Majnun também começava com uma prece:

Ó Senhor! Vosso conhecimento abrange todas as coisas: Vós conheceis o que está à nossa vista e o que está oculto, porque Vós criastes a pedra bruta e a pedra preciosa que permanece presa dentro dela. Vosso é o domínio dos céus e de suas constelações. Vós fundis noite em dia e dia em noite. Vós conheceis os segredos e os mistérios que jazem escondidos no coração humano, pois nada escapa de Vossa visão. Sois Vós que fazeis a seiva nascer nos dias felizes da primavera. Sois Vós que fazeis o sangue andar depressa por nossas veias até o dia de nossa morte. E Vós sois Aquele que ouve a oração dos necessitados quando eles se voltam para Vós.

E então ele se dirigiu a Laila, dizendo:

Escrevo esta carta como alguém que renunciou a todos os laços com o mundo, como alguém cujo destino agora está em suas mãos, como alguém cujo sangue é seu, para vender tão barato quanto desejar.

Você diz que eu sou o guardião do tesouro; é verdade, estou perto disso, mas, ao mesmo tempo, nunca estive tão distante! A chave com a qual posso abrir aquele tesouro ainda não foi feita; o ferro do qual ela será forjada ainda permanece inerte na pedra bruta.

Sou o pó que você pisoteia sob seus pés, e você é a água da vida — mas para quem? Enquanto estou prostrado a seus pés, seus braços envolvem — a quem? Eu poderia ser vítima de uma injúria sua, enquanto você acaricia — quem? Sou seu escravo e sua carga está em meus ombros, mas e você? De quem são as argolas que pendem de suas orelhas? Você é meu Ka'ba, e a você recolho-me em oração, mas o que significo para você?

Você é a cura para tudo aquilo que há de errado comigo, mas ao mesmo tempo você é minha doença! Você é o vinho em meu cálice, que não me pertence. Você é a coroa que foi feita para mim, mas que adorna outra fronte. Sim, você é meu tesouro, mas está nas mãos de um estranho, para que ele desfrute; eu sou apenas o pobre mendigo mordido pela serpente que vela por você.

Você é o próprio paraíso, disso eu tenho certeza. Mas em lugar algum encontro a chave para abrir o portão! Você é minha, embora não seja minha. Você é o próprio céu, mas está tão distante que parece ser o inferno com todas as suas torturas! A árvore de meu ser cresce na floresta de sua alma e pertence a você. Derrube essa árvore e uma parte de seu próprio ser irá cair e morrer. Eu sou a terra sob seus pés: se você andar amorosamente, serei a doce terra primaveril que produz flores infinitas para seu prazer; mas, se você caminhar com passos pesados sobre mim, serei um redemoinho de pó que irá envolvê-la e sufocá-la.

Eu não me entreguei de boa vontade a você? E não sou conhecido pelo mundo inteiro como seu escravo? É justamente assim, porque carrego o fardo de um escravo. Então, aja como a dona de um escravo deveria agir, faça o que é certo! Eu não tenho nada com que me defender: minhas armas, minha proteção — de tudo isso abdiquei. Tornei-me seu prisioneiro sem luta, mas se você me rejeitar submeto-me à espada.

Tenha clemência de mim e de você também. Não magoe a si mesma por ressentimento. Não lute contra seu próprio exército. Não machuque sua própria alma! Seja gentil e amável e dê consolo a meu coração ferido. Só aceitando-me você pode me tornar livre.

Um senhor abandona o seu criado? Como um servo pode obedecer a um senhor que ele nunca vê? Deixe-me permanecer a seu serviço, como seu escravo; não me troque nem me venda! Mas parece que você já o fez. Você não esculpiu meu nome num bloco de gelo para derreter ao sol? Você não me conduziu ao fogo para ser queimado? Você não fez isso comigo? Sim, foi você. Você foi aquela que transformou meu dia em noite e fez de minha vida uma miséria absoluta, enquanto eu — eu lamento sem cessar. Isso é justo? Você rouba meu coração, seduz minha alma, e para quê? Em troca, você só me manda palavras que ferem, enquanto eu sou reduzido a cinzas pelo fogo do amor.

E você? E você, minha querida, que me comprou? Vejo sinais de amor quando olho em sua face? Mostre para mim onde eles estão! Não vejo nem um deles. Só porque cortou todos os laços comigo é que pôde selar um vínculo afetivo com outro? Seria porque você me seduziu com suas palavras, enquanto o tempo todo estava planejando dar a ele o que o amor deseja? Ouço seus suspiros, mas são eles sinceros? Fale-me, porque se eles não são sinceros, seu poder sobre mim não é nada mais que o governo de um tirano!

Por que você é tão insensível? Afinal, você não compartilha de meu pesar? Só tenho olhos para você, e quando eu procuro os sinais que irão determinar o meu destino só penso em você. Meu coração almeja paz, mas onde pode ela ser encontrada? A paz está com aquele que tiver a permissão de contemplá-la, e não com aquele cujos dias se passam de forma miserável, como os meus. Aquele que possui uma jóia como você possui paz e muito mais. Aquele que a possui possui o mundo.

Mas eu não possuo você. Homens cavam a rocha à procura de tesouros, apenas para descobrir que a terra não os entregará — não foi assim que aconteceu no tempo imemorial? Olhe o jardim! Enquanto o rouxinol gorjeia suas odes para a figueira, o corvo foge com os figos! O jardineiro alimenta a romãzeira com todo o *carinho, só para ver suas frutas levadas e dadas a algum tolo doente! Tais são os caprichos do Destino.*

Quando, minha querida, você vai se livrar desse ogro que é o seu marido? Você é a lua em todo o seu esplendor. Quando, ó lua, você irá escapar das mandíbulas do dragão? Quando a abelha partirá e deixará seu mel para mim? Quando o espelho estará limpo e brilhará novamente? Quando a serpente morrerá, permitindo-me abrir o cofre das pedras preciosas? Quando, quando, quando?

Mas não pense que alimento algum ódio contra seu marido. Embora seja ele que esteja perto de você, embora seja ele a mariposa que tremula constantemente ao redor da chama de seu ser, eu não tenho rancor algum: que ele desfrute de sua luz, que ele possa ficar alegre com essa chama! Mas não posso negar que eu gostaria...

O que posso dizer? Você é meu tudo: meu bem, meu mal, minha doença e minha cura.

Perdoe-me, minha adorada! Perdoe-me se lancei calúnias sobre sua bondade, sobre sua integridade. Perdoe-me por suspeitar. Sei que ninguém ainda atacou sua fortaleza. Sei que a concha que guarda a pérola ainda está intacta. Sei que ninguém girou a chave e abriu a porta para seu tesouro. Eu sei tudo isso, e mesmo assim...

Pelo amor de Deus, você sabe o que a paixão faz a uma alma como a minha! Cria ciúmes, maus pensamentos e suspeitas. Você sabe como desejo estar perto de você, como invejo até mesmo o mosquito mais minúsculo que pousa em sua pele tenra. Então, para a mente de um amante possuído, até mesmo aquele mosquito é transformado num abutre. A febre então subjuga-me e não posso descansar até que a imagem daquele abutre seja banida da minha mente. Mas como? Ibn Salam, seu marido, é um homem nobre, disso tenho certeza. Mas de que me serve saber disso? Que conseqüência traz para mim a nobreza de seu esposo? Para minha mente, ele é pouco melhor que um ladrão comum que se encanta com o que roubou. Lá está ele, preocupando-se com uma rosa que não o deixam colher, perdendo o sono por uma pérola que não é para o tesouro dele!

Meu amor, ao amá-la minha vida se esvai, meus lábios murcham e meus olhos encobrem-se de lágrimas. Você não pode imaginar o quanto de um louco, de um majnun, eu me tornei. Por você, não perdi só o mundo — eu me perdi.

Mas o caminho do verdadeiro amor só pode ser trilhado pelos que estão prontos a esquecer a si próprios. Por amor, os que crêem devem pagar com o sangue de seus corações, com a tranqüilidade de suas almas. Caso contrário, o amor deles não vale nada. Assim, você está me conduzindo, para me mostrar a verdadeira fé de seu amor, mesmo que essa fé devesse permanecer escondida para sempre de mim.

Então, deixe meu amor ser o guardião de meus segredos. Deixe a miséria que o amor traz acariciar minha alma! O que importa se minha doença não tem cura? Contanto que você esteja bem, meu sofrimento é imaterial.

42

Entre os parentes de Majnun havia um cuja sabedoria e integridade tinham ganho o respeito e a estima de todos que o conheciam. Salim Amiri era o tio materno de Majnun e amava o filho de sua irmã tanto quanto amava sua própria descendência.

Agora Salim queria acima de tudo ajudar o sobrinho, mas até mesmo ele — que conhecia a cura para todo mal e que habitualmente conseguia descobrir uma saída para qualquer situação difícil — falhou no caso de Majnun.

Tudo o que ele podia fazer era compartilhar de longe o sofrimento de seu sobrinho, aliviando o fardo do pobre menino de vez em quando, com presentes, como roupas limpas e comida fresca. Mas finalmente decidiu que devia visitar o jovem torturado e reavaliar a situação.

Quem sabe, talvez houvesse algo mais que pudesse ser feito. Talvez ainda houvesse um modo de devolver aquele corpo à vida.

E Salim montou seu camelo mais forte e mais rápido e partiu para as regiões despovoadas. A jornada levou muitos dias.

Sob os raios ferozes do sol, ele cavalgava como o vento; quando o crepúsculo caía, ele fazia seu caminho o mais próximo possível das rotas das caravanas, para passar a noite na companhia de outros viajantes.

À medida que ele se arriscava até o coração do deserto, as paradas nas rotas das caravanas tornaram-se menos freqüentes. Mas isso não o intimidou.

Os estoques de comida e água estavam quase terminados, mas ele cavalgou como o vento, até finalmente descobrir seu sobrinho isolado num lugar na vastidão do deserto onde nenhum ser humano havia estado antes.

Mas Majnun não estava só. Salim encontrou o sobrinho cercado por animais selvagens. Parecia que ele havia reunido, todos os animais do deserto e da planície num exército enorme.

Assim que Salim aproximou-se da horda, ele sentiu o medo percorrer sua espinha. Parou e gritou uma saudação, muito amedrontado para desmontar.

"Quem é você?", veio a resposta. "Quem é você e o que quer aqui?"

"Meu nome é Salim, da tribo de Amir. E também sou o instrumento do Destino, se você quer saber.

"Você não me reconhece? Eu posso ver que o sol enegreceu sua face e deixou-o quase irreconhecível, mas eu não mudei tanto! Você não consegue ver que sou seu tio?"

Ao reconhecer seu visitante, Majnun ordenou aos animais que não atacassem. Então ele ajudou Salim a desmontar, saudou-o da maneira habitual e pediu-lhe que sentasse.

Com grande cortesia, Majnun indagou sobre seus amigos e parentes e sobre a saúde de seu visitante; Salim ficou mais surpreso ainda por descobrir que o sobrinho não havia perdido a cortesia. Realmente, para um homem que vive a vida de um selvagem ele parecia ser bastante razoável.

Merecia ele o epíteto "Majnun", o "louco"? Claro que a aparência externa indicava um selvagem, era verdade, mas uma pessoa deve ser sempre julgada pelas aparências?

Então Salim olhou o filho de sua irmã de cima a baixo, e sentiu a vergonha e o pesar inundarem seu coração. Como aquela tragédia podia ter acontecido?

Pois certamente aquilo era uma tragédia. Ali estava um jovem, um descendente de uma família nobre, a jóia na coroa da tribo ilustre de Amir, desnudo como no dia em que nascera e despertando como um cadáver revigorado renascendo do sepulcro, cercado por bestas malignas que grunhiam! Nobre algum — nenhum homem — deveria se expor dessa forma, nem mesmo ali naquele lugar esquecido por Deus, onde somente estrelas, pedras e bestas do deserto poderiam vê-lo. Tal situação era intolerável!

Salim não a suportou por muito tempo. Procurou sua bolsa e dela retirou um manto.

"Perdoe-me, sobrinho!", disse ele, desviando os olhos "Mas eu lhe imploro que se cubra com esse manto. É indecente você andar desnudo — pelo menos enquanto eu estiver aqui com você."

"Que utilidade teriam essas roupas para mim?", perguntou Majnun devolvendo o manto. "Meu corpo está aquecido o bastante sem elas.

"Meu coração é um forno cujo combustível é o amor. Se eu usar esse manto, o calor de meu coração irá consumi-lo em segundos."

Salim insistiu muitas vezes, até que Majnun viu que ele não tinha escolha a não ser concordar.

Então Salim tirou um pano de sua bolsa, abriu-o sobre o chão e cobriu-o com as delícias que havia trazido consigo: bolos e pastéis, guloseimas e sobremesas. Quem poderia resistir a tal quantidade de iguarias deliciosas?

Porém, quanto mais Salim insistia, mais teimoso Majnun se tornava, recusando-se a comer até mesmo um pequeno pedaço. Majnun pegou a comida, lançou-a aos animais e riu de modo selvagem, ao ver como eles lambiam os pedaços gostosos e imploravam por mais!

Quando Salim percebeu que não havia nada que pudesse fazer para trazer Majnun de volta à razão — e que até as mais sofisticadas delícias seriam lançadas às bestas —, ele disse: "Muito bem, então você não comerá. Assim seja. Mas fale-me, o que o sustenta? Você é um ser humano como eu, e a comida é uma das necessidades humanas. Diga-me, qual é a sua comida?"

Majnun respondeu: "Querido tio, seu nome, Salim, quer dizer 'forte e saudável', que é uma descrição exata de meu coração! Eu estou bem e em boa forma, mesmo que minha boca e meu estômago tenham esquecido o que é comer. A verdade é que já faz tempo que não sinto falta de comida: algumas raízes e frutas são tudo de que preciso.

"Mas basta das minhas necessidades! Não sou a única criatura aqui, e como você pode ver meus animais alegram-se em aceitar a comida que você trouxe. Vê-los comer também me ajuda a me alimentar!"

Salim pesou as palavras de seu sobrinho durante um momento e então sorriu. Ele disse: "Talvez você tenha razão. Afinal, os pássaros são apanhados em armadilhas porque estão ávidos por comida; os seres humanos são diferentes? Nossa fome é a armadilha para a qual o Destino nos atrai: quanto maior a cobiça, maior o perigo.

"Só quem se contenta com pouco, como você, pode ter a pretensão de ser verdadeiramente livre; só os livres são os mestres de seus próprios mundos. O que me faz lembrar de uma história que você deve ouvir. É a respeito de um rei e de um mendigo...

"Havia um mendigo, um pobre de espírito que tinha dado as costas ao mundo para concentrar todos os seus pensamentos e desejos no mundo que estava por vir. A casa dele era apenas uma choupana, uma cova miserável com paredes destroçadas, mas, para ele, era mais importante que um palácio.

"Um dia, aconteceu de o rei estar cavalgando por ali. Viu a choupana e quase não pôde acreditar que algum ser humano pudesse querer morar num lugar como aquele, abandonado por Deus. Ele perguntou para um de seus cortesãos: 'O que faz esse homem aqui? O que ele come? Onde dorme? Quem é ele?'

"'Ele é um mendigo', respondeu o cortesão, 'um humilde que não come nem dorme, porque não é como os outros homens.'

"A curiosidade do rei foi despertada, e ele decidiu aproximar-se do ermitão. A uma certa distância da choupana, desmontou de seu corcel e gesticulou para que um de seus cortesãos trouxesse o ermitão para conhecê-lo.

"O cortesão foi para a porta da choupana, da qual emergiu o mendigo, coberto de pó e desgrenhado.

"'Você parece', disse o cortesão, 'ter cortado todos os laços com este mundo. Eu também diria que você está contente em viver só nessa cova abandonada por Deus. Pelos céus, por quê? Onde você encontra forças para suportar esse inferno? E o que, por favor nos fale, você come?'

"O mendigo segurou algumas plantas que há pouco havia colhido na planície onde as gazelas pastam. Apontou para elas e disse: 'Isso é o que eu como, e eu tenho de dizer que é mais do que suficiente para minhas necessidades.'

"O cortesão, frívolo e arrogante como só aqueles que servem aos reis, disse zombando: 'Como você pode agüentar viver assim? Se você fosse servir ao nosso rei, teria comida muito melhor do que algumas folhas de grama!'

"'Perdoe-me', disse o mendigo indignado. 'Ouvi você chamar isso de grama? Fique você sabendo, bom senhor, que são flores de mel! Se você soubesse como são deliciosas, desistiria de seu posto com o rei imediatamente e se apressaria a sentar-se à minha mesa para dividi-las comigo!'

"O rei ouviu essas palavras, pensou nelas por alguns momentos e, sendo um homem sábio, percebeu a verdade que havia nelas. Adiantou-se até o mendigo, tomou-lhe a mão imunda e cobriu-a de beijos.

"E o rei tinha razão para fazer isso, porque havia entendido a verdade. Percebera que só os que são livres não têm qualquer desejo mundano."

43

Majnun escutou com atenção, extasiado a história de Salim. Quando o tio terminou, Majnun parecia quase jovial. Ria como costumava rir, saltava com alegria inquieta e falava animadamente e com grande carinho sobre os amigos de sua mocidade e as aventuras que tinham compartilhado.

Então seus pensamentos voltaram-se para sua mãe, e sua face nublou-se. Com lágrimas na voz, ele disse: "Por que faz tempo que não penso em minha querida mãe? Minha pobre mãe, o pássaro de asas quebradas! Fale-me, como ela está? Ela está bem ou o sofrimento a dobrou? Sou o escravo mouro dela, com minha face completamente enegrecida de vergonha. Realmente, tão grande é minha vergonha que não ouso aproximar-me dela, e, no entanto, como gostaria de ver sua bonita face mais uma vez!"

Salim decidiu que tentaria realizar o desejo de Majnun. Afinal, talvez a mãe pudesse persuadir o filho teimoso a retornar à casa e à proteção de sua tribo. Embora Majnun vivesse como as feras selvagens, ele era humano — e os humanos não se relacionam com outros humanos? "Fique certo de que trarei sua mãe até você", disse Salim quando partiu. E cumpriu a palavra, pois depois de alguns dias retornava, trazendo consigo a mãe de Majnun.

Não demorou muito para a velha mulher reconhecer o filho, mas quando o reconheceu seu coração desabou. Como a rosa jovem havia murchado, como o espelho brilhante da mocidade se tornara escurecido! Assim que ela se adiantou ao encontro dele, as bestas selvagens começaram a grunhir e a rosnar, mas ela não teve medo das feras. Que preocupação poderia ter? Os únicos pensamentos que tinha eram para seu filho, seu pobre e infeliz filho, e assim ela caiu sobre ele, soluçando e suspirando, acariciando suas faces e seus cabelos com os magros dedos delicados. Com o amor incondicional que só as mães podem dar, ela puxou um véu sobre o passado e as injustiças que havia sofrido pelas mãos dele: lá estava ela, numa hora de dificuldade, sem perguntas, sem ressentimentos, levada a ele pelos laços de ternura e afeto que existiam entre os dois.

Com uma torrente de lágrimas ela lavou o pobre rosto do filho, um rosto tão familiar e contudo tão devastado. Das dobras do vestido, ela retirou um pente e domesticou os cabelos fartos e rebeldes, como se novamente ele fosse uma criança pequena. Sussurrando em seu ouvido e acariciando suas bochechas, fez curativos em suas feridas causadas por pedras e espinhos. Lentamente, a criatura selvagem voltou a se assemelhar ao seu amado Kais, a criança feliz que ela conhecera, sua jóia mais valiosa, seu filho amado. Enxugando as lágrimas, ela começou a falar:

"Meu querido filho, o que devo fazer com você? A vida para você não é nada mais que um interminável jogo de amor? Seu pai foi ceifado pela espada da morte, uma espada que agora se projeta também sobre mim, mas você ainda escolhe embriagar-se com o vinho dos prazeres da juventude! Quanto tempo mais isso ainda vai perdurar? Seu pobre pai morreu de pesar, e estou pronta para segui-lo ao sepulcro pelo mesmo caminho, acredite. Você não voltará à razão? Pelo amor de Deus, venha para casa comigo e ponha um fim a essa tragédia. Veja a lição dos pássaros e dos animais do deserto: quando a noite chega, eles retornam aos seus ninhos e tocas, não é? Eles não são um exemplo para você? Por quanto tempo você pretende se manter apartado do mundo dos homens? Por quanto tempo você irá vagar pelos lugares desabitados, sem dormir e sem sossego?

"A vida é um conto e um grito. Em poucos dias está terminada. Volte agora enquanto pode e dê a si mesmo um pouco de paz, eu lhe imploro! Por que uma caverna imunda deveria ser sua casa? Por que você deveria viver entre serpentes e abutres? Imagina que eles se importem mais com você do que nós? A serpente irá picá-lo, e então, quando você estiver morto, o abutre irá recolher os seus ossos. Assim, deixe-os e retorne comigo. Pare de torturar sua pobre alma. A alma não é uma pedra que pode resistir à força plena dos elementos. O coração não é uma pedra qualquer, e você não é feito de pedra. Dê à sua alma algum descanso, e um pouco de paz ao seu coração. Volte comigo!"

As palavras de sua mãe picaram-no como um enxame de abelhas, mas Majnun estava inflexível. Ali ele estava, e ali ficaria. Tomou a mão de sua mãe entre as suas mãos e acariciou-as com suavidade:

"Minha querida, tornei-me uma pérola que tortura as ostras. Sei disso muito bem, mas não vejo outro percurso aberto para mim. Mas devo me culpar, já que não tive escolha? Minha situação é desesperadora, mas não abracei esse destino de boa vontade. Nós lutamos e nos esforçamos, mas para quê? Cada um deve cumprir a parte que foi escrita para si. Você deveria saber que eu nunca fui livre para aceitar ou recusar o meu amor: sofrimento e miséria não foram feitos para eu escolher ou rejeitar. Assim, tenho de lhe implorar que não insista para que eu retorne. Você diz que minha alma é um pássaro que deve ser libertado de sua gaiola. Mas, mãe, você não vê que essa gaiola é o meu amor? Como eu poderia ter sucesso? E se eu voltasse para casa com você estaria me entregando a outra armadilha, à qual você chama de 'casa', e é uma prisão — uma prisão na qual eu certamente morreria. Meu amor é minha casa. Em qualquer outro lar sou um estranho. Então, deixe-me, querida mãe, e não insista. Eu sei como você está infeliz por causa de meu sofrimento. Sei disso muito bem, mas é algo que não pode ser mudado. A única coisa que posso fazer é pedir o seu perdão."

Lançando-se ao solo, Majnun beijou o pés de sua mãe e implorou-lhe que o perdoasse. Não havia nada que a velha mulher pudesse dizer ou fazer. Então, chorando lágrimas amargas, ela disse adeus ao filho e voltou para casa com o irmão, Salim.

O tempo passou, mas a separação não se tornou uma coisa fácil para a velha mulher suportar. Aos poucos ela transfomou-se numa estranha em sua própria casa. Para ela, a casa tinha se tornado a prisão da qual seu amado Majnun lhe falara. O desejo que tinha pela vida foi diminuindo, até que, uma noite, sua alma deslizou pelas barras da prisão da existência terrena e libertou-se, voando para unir-se ao marido no outro mundo.

44

Mais uma vez o cavaleiro real, o sol, galopou na vasta arena onde gira a roda da fortuna. Seus rivais prateados, as estrelas, empalideceram e apressadamente bateram em retirada para o Oeste. O semblante luminoso do conquistador era demais para o cálice cristalino da noite, que tremeu até se despedaçar, derramando seu vinho e tingindo os céus de uma cor púrpura de horizonte a horizonte. Assim surgiu o amanhecer, assim nasceu um novo dia.

Majnun estava sentado, sozinho, longe da companhia de outros homens, batendo ode após ode no tambor de sua solidão. Para ele, pouco importava se era dia ou noite: um homem em seu estado não registra o transcorrer do tempo. Ele era um estranho aos eventos que acontecem no mundo dos homens; não sabia que sua mãe tinha partido dessa terra, deixando seu tio, o qual vinha trazer-lhe comida e uma muda de roupas, mas que não lhe dera a notícia.

Então, depois de algum tempo, Salim segurou o sobrinho pelos ombros e, falando com suavidade, disse: "Sua mãe sofreu muita infelicidade enquanto estava viva, e agora ela partiu. Preparada para a morte, ela disse adeus a esse lar de miséria e foi para um lugar melhor. Você não estava com ela quando ela partiu, mas os pensamentos dela estavam com você. No leito de morte, ela teve saudades de você, como seu pai sentira antes dela."

Majnun sentiu um sopro invisível no estômago e prendeu a respiração. Então, a angústia brotou em seu coração, e ele arranhou a própria face com suas unhas pontudas. Gritando e carpindo como uma mulher, ele saltou e se apressou a chegar até o lugar onde a mãe estava enterrada, junto de seu pai. Lá, colou o rosto à terra onde ambos jaziam esperando ser questionado pelos anjos do dia do Juízo Final. Seus gritos alcançaram os céus, suas lágrimas eram suficientes para inundar o deserto e fazê-lo florescer, mas ele entendeu então o que todos nós sabemos: nenhum grito, nenhuma lágrima pode devolver o que Deus levou. Quem ouviu os lamentos de Majnun quase não os conseguiu suportar. A família e os homens de sua tribo logo estavam ao seu lado. Ao vê-lo ali, alquebrado pelo desespero, os corações desses homens uniram-se ao dele. "Aceite nossa compaixão", eles disseram. "Seu pesar é nosso pesar, e nossa casa é sua casa. Volte e fique conosco, pois aqui é o seu lugar. Fique conosco, não parta novamente!"

Majnun só conseguiu responder chorando. Com uma voz débil, agradeceu-lhes a hospitalidade, mas recusou a oferta, dizendo que ali ele era apenas um convidado. Nada, ninguém poderia prendê-lo agora. Fazia tempo que aquele lugar não era mais a sua casa; sua família e seus amigos eram agora estranhos. Ele se despediu e retornou às montanhas, onde seus verdadeiros amigos, seus animais, esperavam-no. Somente nas montanhas havia espaço suficiente para o sofrimento de seu pesado coração; lá havia horizontes largos o bastante para conter a extensão de sua dor. Por um breve momento, ele tinha invadido o mundo dos homens como o clarão de um raio, mas agora devia retornar, pois o vento do deserto carregava nuvens de tempestade.

E o que é uma vida humana senão o clarão de um raio na escuridão? Não é nada, mesmo se durar mil anos. Comparada com a eternidade, é apenas um piscar de olhos. Desde o início, a vida carrega a marca da morte: vida e morte estão entrelaçadas como amantes, mais íntimas por natureza do que gêmeos unidos pelo nascimento. Ó, homem, por quanto tempo ainda você vai cobrir seus olhos com a lã de seu manto? Por quanto tempo se recusará a ver as coisas como elas realmente são? Cada grão de areia se julga por seu próprio critério e toma seu próprio comprimento e largura como única medida do mundo; mesmo fazendo parte da duna, ele não é nada. Você é apenas um grão de areia, um prisioneiro num mundo de ilusões. Você deve insinuar-se pelas grades da gaiola e libertar-se! Deve se libertar de você mesmo e do resto da raça humana! Deve aprender que o que você tomou como realidade não é nada real, e que a realidade é completamente outra! Siga o exemplo desse escritor: seja como uma vela e queime seus próprios tesouros — só então o mundo que agora é seu soberano se tornará seu escravo.

45

A carta de Majnun não aliviara a dor no coração de Laila. Na verdade, só servira para aumentar a tristeza dela e prolongar o seu sofrimento. Majnun não desejava isso. A única intenção que tinha era torturar a si mesmo com suas amargas lamentações e suas acusações dolorosas. No fundo de seu coração, porém, ele sabia a verdade, e ao término da carta, ele admitira isso categoricamente. Pedia que Laila o perdoasse e dizia que, embora houvesse suspeitado, sabia profundamente que ninguém havia penetrado a fortaleza dela...

Laila, por sua vez, entendera muito bem o que seu amado estava pensando. Não se sentira ofendida pelas suspeitas dele. Só se sentira ferida porque ele havia se ferido tão profundamente.

Ela também estava ferida pela inveja, era verdade. Sentia inveja da liberdade dele. Ele, na vastidão do deserto, podia ser tão selvagem e tão livre quanto desejasse, enquanto ela era uma prisioneira. Sempre fora uma prisioneira, até onde podia se lembrar: primeiro do pai, agora do marido.

É verdade, tinha sido amada, mimada, galanteada e cortejada — mas continuava sendo uma prisioneira. O marido obedecera ao seu pedido de nunca ser tocada por ele, mas alimentava esperanças de ser capaz de vencer a resistência dela e conquistá-la com ternura, fechando-a para sempre numa fortaleza cercada pelo seu amor. E assim ele esperou, guardando ciosamente o portão que lhe haviam proibido de transpor. E Laila também esperou...

Até que numa noite escura e sem luar — uma noite que Laila sentia que não seria uma noite qualquer —, o guarda que ficava do lado de fora da tenda da jovem caiu em sono profundo — e ela conseguiu escapar! Mas para onde poderia ir? Seguindo uma voz do coração, andou pela escuridão até chegar à extremidade de um bosque de palmeiras, onde dois caminhos se cruzavam — exatamente o mesmo ponto em que ela entregara ao velho cavaleiro a carta para ser levada a Majnun. "Quem sabe?", sussurrou a mesma voz em seu coração. "Talvez suas orações sejam atendidas e você receba uma palavra dele novamente, aqui."

E foi de fato o que veio a acontecer. Assim que chegou à encruzilhada ela viu uma figura na escuridão à sua frente, uma figura cujos passos, como os dela, pareciam ter sido guiados por um estranho poder do coração. Quase imediatamente ela soube que era o mesmo velho. Mas quem era ele? Podia ser que ele fosse um *Khidr*, o próprio mensageiro de Deus? Laila pouco se importou, pois sabia, em seu coração, que o encontraria ali. A verdadeira identidade do velho não tinha a menor importância.

Sem hesitar, ela foi até ele e disse: "Que notícias traz você do paraíso? O que o meu amor selvagem faz lá, na solidão de seu deserto? Sobre o que divagam seus sonhos? E o que diz ele?"

O velho não parecia surpreso em vê-la, nem mesmo ficou surpreso com as palavras dela. Suavemente e com grande ternura ele respondeu: "Sem o esplendor de sua beleza, que se parece com o luar, aquele por quem você pergunta está como o jovem José no fundo do poço. A alma dele é como o oceano no meio de uma noite de inverno, chicoteada por mil tempestades sob um céu sem luar. Como um arauto possuído, ele vaga ao redor das montanhas, gritando aos quatro ventos.

"E há apenas uma palavra nos lábios dele, e essa palavra é 'Laila'. Laila é tudo o que ele busca. E tão perdido está nessa procura que já não reconhece a si próprio. Está numa estrada sem direção, pois não há outro destino a não ser Laila."

Quando Laila ouviu isso, seus olhos encheram-se de lágrimas até a borda, e ela parecia a flauta de um pastor fazendo soar a melancólica melodia do amor não correspondido. Ela disse: "A culpa é toda minha. Sou aquela que ateou fogo ao coração de meu amante e reduziu toda existência dele a cinzas! Como gostaria de poder estar com ele em seus momentos de dificuldade! Embora soframos de modos diferentes. Sou aquela que é apanhada no poço como José. Majnun é livre, livre para vagar pelas montanhas, enquanto eu permaneço cativa no vale! Tenho de vê-lo. Irei vê-lo!"

Tirando os brincos de suas orelhas, ela beijou-os e entregou-os ao velho homem, dizendo: "Esses são para você, como recompensa para suas dificuldades. Agora, vá até Majnun e traga-o aqui. Só quero vê-lo, olhar a sua face, banhar-me na luz de seu semblante nem que seja por um breve instante!

"Como posso saber o que está se passando com ele? Como posso saber se ele ainda é fiel a mim? Quem sabe, talvez ele recite alguns versos para mim, versos que ninguém ouviu ainda. Talvez, se eu ouvir os versos dele, a magia de suas palavras desembarace o laço do desejo em minha alma."

O velho homem amarrou as jóias que ela lhe entregou na faixa de sua cintura e, beijando as lágrimas de seus olhos, disse adeus a Laila. Então ele cavalgou noite afora, com a esperança e os medos de Laila cavalgando invisivelmente a seu lado.

De oásis em oásis ele andou, perguntando e procurando, mas não havia alguém que indicasse o paradeiro de Majnun. Somente a sorte era seu guia. Finalmente, encontrou o eremita ao pé de uma montanha, cercado por feras selvagens, com a face exprimindo tanta dor quanto a de um joalheiro cujo estoque tivesse sido roubado por ladrões.

Assim que avistou o velho, Majnun colocou-se de pé num salto e foi saudá-lo, ordenando a suas bestas que não atacassem. O velho desmontou e eles se abraçaram. Majnun olhou-o como se ele fosse um enviado à terra, tão feliz estava por ver um convidado tão bem-vindo. O velho prostrou-se com uma deferência devida somente a um xá ou um sultão, invocando as bênçãos de Deus sobre Majnun, e começou a falar:

"Você é o Rei do Amor, Majnun, e seu reinado pode durar tanto quanto o amor! Fui enviado aqui por Laila, cuja beleza é a oitava maravilha do mundo. Ela estima mais o amor que você tem por ela do que a própria vida. E, como muito tempo se passou desde que viu seu rosto ou ouviu sua voz pela última vez, ela deseja vê-lo, deseja unir seus olhos com os dela, ao menos por um momento.

"Você também não ficaria feliz em vê-la novamente? Não poderia quebrar seus votos de separação do mundo e olhar a face chorosa de Laila apenas durante um segundo? Ou sussurrar alguns doces versos que acalmassem o oceano tempestuoso do jovem coração dela e reacender o que é apenas uma lembrança, para reviver aquilo que se tornou parte do passado?

"Não se preocupe, ninguém o verá. Eu conheço um jardim onde há um bosque de palmeiras espessas que os protegerão dos olhos que espreitam. Não haverá nada sobre você a não ser a cúpula índigo dos céus, nada sob seus pés além de um tapete verde de esmeraldas. Venha, venha depressa, pois a fonte da vida lá espera por você; a fonte e a chave para o talismã do Destino..."

O velho abriu sua bolsa, tirou um manto e entregou-o para Majnun usar. O moço ficou ali parado, confuso com o que tinha ouvido. Seria possível de fato ter um vislumbre do paraíso enquanto ainda estava na terra? Seria realmente possível provar da felicidade eterna enquanto ainda estava no reino temporal?

"Pouco importa se esse velho me entende", pensou Majnun. "Pouco importa se alguém entende Majnun, o 'louco'! Eles não percebem que a idéia que têm de felicidade não é a mesma que a minha? Não vêem que, enquanto para eles, seus desejos talvez sejam atendidos nesta vida, meu desejo é algo completamente diferente, algo que possivelmente não poderá ser atendido enquanto eu permanecer neste mundo passageiro?"

No entanto, essa era uma oportunidade à qual Majnun não podia resistir, uma oferta que ele não podia recusar. Como poderia ignorar um chamado de sua amada Laila? E assim ele deixou que o velho o vestisse apropriadamente para a jornada. Então, quando estavam prontos, partiram pelo deserto, trazendo consigo a caravana de feras de Majnun.

Quanto mais se aproximavam do lugar em que Laila estava esperando, mais Majnun tremia de prazer e desejo. Ele esporeava com impaciência a montaria, para que andasse mais rápida.

Tinha a sensação de que a fonte da água pura da vida tentava-o do horizonte. Era como se o perfume de sua amada flutuasse com o vento sob suas narinas, a incitá-lo. Era como se morresse de sede enquanto vislumbrava o próprio rio Tigre ao longe, e como se este sempre retrocedesse à sua aproximação. Majnun desejou saber se o Destino seria gentil com eles, pelo menos uma vez...

Majnun e seu guia finalmente alcançaram o bosque de palmeiras onde os animais ficariam acampados e esperariam pelo retorno do mestre. Assim que o crepúsculo caiu, Majnun entrou no jardim e sentou-se sob uma palmeira para esperar, enquanto o velho partia para fazer o sinal combinado à Laila.

Laila, sozinha em sua tenda, viu a aproximação do velho e, cobrindo-se com o véu, saiu apressadamente para encontrá-lo. Seu coração estava dividido entre medo, dúvida e esperança: ela havia esperado tanto, derramado tantas lágrimas — sabia exatamente o que arriscava ao encontrar-se com Majnun desse jeito, mas tinha de vê-lo! Protegida por seu véu e pelo crepúsculo que caía, Laila acenou para o velho e voou pelo jardim.

Ela viu Majnun imediatamente, mas parou antes de alcançar a palmeira sob a qual ele estava sentado. O corpo inteiro de Laila tremia, e parecia que ela estava profundamente enferma. Não mais que vinte passos separavam-na de seu amado, mas era como se um feiticeiro tivesse delineado um círculo mágico no chão cujo limite ela não deveria ultrapassar.

O velho, que a alcançara, tomou-a pelo braço para conduzi-la. Mas ela disse cortesmente: "Nobre senhor, nem tão longe, mas nem tão perto. Agora sou igual a uma vela ardente; um passo mais perto do fogo e eu serei consumida completamente. A proximidade traz o desastre, pois os amantes só estão seguros separados.

"A proximidade é a alegria, é verdade, mas é um mel que esconde o veneno. Por que eu deveria pedir mais? Até mesmo Majnun, o Rei do

Amor, não pediria mais. Vá até ele! Vá até ele e peça-lhe que recite alguns de seus poemas para mim. Deixe-o cantar o amor. Eu serei toda ouvidos. Deixe-o ser o cálice condutor. Eu beberei do vinho desse cálice."

O velho obedeceu, mas quando se aproximou da figura quieta sob a palmeira viu a face de Majnun totalmente pálida, mirando com os olhos vidrados, as lágrimas escorrendo pelas faces.

O velho tomou Majnun nos braços, acariciou sua face até que ele voltasse a si. Então, fez Majnun agachar-se a seus pés, arrumou os cabelos que lhe cobriam os olhos e apontou na direção de Laila. Assim que os olhos deles se encontraram, Majnun sentiu o curso da vida retornar por suas veias. Então, sem pensar, ele abriu a boca, e os versos que Laila havia pedido começaram a fluir de seus lábios.

46

Ele cantou:

A alegria do jardim com vermelhas rosas florido
É bem comparada ao bom vinho tinto:
Para quem a rosa as vestes rasga,
Pergunto...
Pelo amor da amada, louco,
Rasgo minhas vestes!
As vítimas desgraçadas não clamam por justiça?
Trovão, por que trovejas? A vítima sou eu!
Ao amanhecer, como os pingos da chuva caindo sobre o jasmim
São as lágrimas que choro sobre o rosto da bem-amada.
É como um rubi toda planície de tulipas flamejantes —
Que ladrão esteve para saquear a minha pedra preciosa?
Com tal profusão fragrante o almíscar é espalhado pelas árvores
Que o almíscar de Khotan até fica arquejante.

Laila escutava num espanto reverente enquanto Majnun recitava poema após poema. De repente, ele calou-se. Então, com um grito, ele deu um salto e fugiu como uma sombra para fora do jardim, em direção ao deserto. Na verdade, Majnun fora intoxicado com a essência do vinho, mas sabia que só poderia provar tal vinho no paraíso.

47

Nessa época, os comerciantes e suas caravanas tinham retornado, trazendo do deserto os versos de Majnun para as ruas e os mercados da cidade. E em Bagdá, às margens do Tigre, vivia um jovem conhecido como Salam, um rapaz de esplêndida beleza e considerável inteligência que havia conhecido as dores do amor não correspondido.

Por isso mesmo, o amor dele pela poesia era grande, e assim que ouviu falar de Majnun e de suas canções de amor para Laila sua imaginação foi seduzida.

"Tenho de achar esse Majnun, esse 'louco'", pensou ele. "Onde quer que ele esteja, tenho de encontrá-lo e falar com ele, porque ele também sofreu por amor e pode entender meu estado deplorável." E assim ele arrumou sua bagagem, montou sobre o camelo e rumou para a região dos beduínos sem demora.

Por vários dias ele vagou pela vastidão do deserto, perguntando e procurando, até que finalmente encontrou um pobre miserável, desnudo da cabeça aos pés, que imediatamente descobriu ser o Majnun que estava procurando. Quando Majnun viu Salam se aproximar, soube que o jovem devia ter passado muitos dias tentando encontrá-lo, e portanto controlou suas feras e impediu-as de atacar.

Então ele saudou o jovem educadamente e ajudou-o a desmontar. "De onde você veio, meu jovem?", perguntou Majnun.

"De onde eu venho não tem muita importância", respondeu o moço. "Onde estou agora é que importa. E eu estou feliz em dizer que cheguei ao fim de minha jornada: alcancei minha meta!"

Ele tomou a mão de Majnun em suas mãos e continuou: "Minha casa, se você quer saber, é em Bagdá, e eu vim a esta terra estranha por sua causa, somente por você. Eu vim vislumbrar sua face maravilhosa e escutar os seus versos milagrosos.

"Já que Deus preservou minha vida até agora, permita-me ficar durante algum tempo com você. Você é um homem de grande sabedoria e esclarecimento, e eu sou o escravo que vem beijar o pó que você pisa e obedecer a todas as suas ordens.

"Todo verso que você recitar, eu guardarei na memória: meu coração será um cálice para o vinho de suas doces palavras, um cofre para as pérolas de sua sabedoria!

"Deixe-me ficar e servir-lhe, eu imploro. Olhe para mim apenas como se eu fosse mais uma dessas feras mudas, para protegê-lo fielmente e nunca sair do seu lado. Que dano um animal a mais pode causar? Eu sou mais um desses esmagados pela carga pesada do amor, assim como você. Portanto, não me rejeite."

48

Quando Majnun ouviu o que o estranho tinha a dizer, seus lábios abriram-se num sorriso, e ele respondeu: "Meu querido, mais nobre senhor! O caminho que você tomou é atacado constantemente por perigos desconhecidos, e você faria melhor em retornar o mais rápido possível. Não há lugar para você aqui comigo, porque você não experimentou nem um de meus sofrimentos, você não provou nem uma de minhas aflições.

"Não possuo nada além dessas feras selvagens; e, já que eu não tenho nenhum lugar seguro, como posso proporcionar-lhe um? Como eu poderia viver em harmonia com você se estou impossibilitado de viver comigo mesmo? Até mesmo o diabo e seus seguidores fogem de mim. Por que, então, você pensa que poderia suportar minha companhia durante um segundo que fosse? Você procura o calor e a companhia de outro ser humano, mas sou um selvagem solitário que não pode lhe dar nada.

"Retorne para sua gente, pois não há nada aqui para você. Somos tão diferentes como a água e o vinho, não nos identificamos em nada. Nossos caminhos são diversos e jamais convergirão: você é o melhor amigo de si mesmo, e eu sou o meu pior inimigo. Você achou alguém que se tornou um estranho não só para o mundo, mas também para sua própria alma. Diga: 'Fique com Deus!', e deixe-o como você o encontrou.

"Por favor, dê meia-volta e vá para casa. Aceite meu conselho, já que você veio de tão longe, e volte sem fazer perguntas. Porque se você não for por sua própria decisão, pode ser forçado a fugir, com a mente, o corpo e a alma abalados, quer queira, quer não."

Salam de Bagdá ouviu Majnun, mas as palavras do louco não acalmaram aquele oceano tempestuoso de desejo que ele tinha no coração. "Eu lhe imploro, pelo amor de Deus!", ele gritou. "Não me enxote! Não me proíba de extinguir minha sede em seu poço. Considere-me um peregrino que veio até aqui para adorar a Meca do seu ser. Você recusaria a um peregrino o direito de rezar?"

Tais eram as súplicas do jovem que Majnun, mais pelo pesar, não teve outra escolha a não ser ceder. Salam estava jubiloso! Desfez suas bagagens, abriu um pano sobre o solo e cobriu-o de delicadezas: guloseimas, pastéis, frutas secas e tudo o mais, numa fartura de comidas tentadoras.

Então ele disse: "Agora você deve ser meu convidado, assim como sou seu convidado! Por favor, parta o pão comigo e compartilhe de minha comida. Você pode ter jurado jejuar, mas, afinal, um homem deve comer para manter suas forças. Assim, sente-se comigo e coma, eu lhe suplico!"

Majnun balançou a cabeça. "Sou um desses", disse ele, "que domesticou toda a fome e exterminou todos os desejos desprezíveis. Guloseimas e pastéis existem para sustentar os que cuidam do seu próprio bem-estar. Nada disso importa para mim. Jejuar é minha comida. Então, como pode me fazer mal?"

Salam não deu muita importância às palavras de Majnun. Mas, julgando que sempre era preciso encorajar os que perderam a coragem, ele disse: "Talvez fosse melhor se você não alimentasse esse desespero que fez morada em seu coração, pois basta dar-lhe a mínima chance, e ele o consumirá inteiro. Olhe o céu! Nem sequer o céu permanece o mesmo: um dia azul, um dia cinzento; um dia ensolarado, um dia chuvoso. O céu está sempre mudando sua aparência, revelando-nos constantemente novas páginas do livro da vida.

"O mundo sempre foi assim. No espaço de um momento único, num piscar de olhos, podem-se abrir cem portas fechadas, e o pesar pode se transformar em alegria. Então, não alimente seu pesar: deixe-o ir e volte as costas para ele. É melhor rir que chorar, até mesmo quando seu coração está ferido. Meu coração já esteve ferido, e meu corpo, paralisado de tanta dor.

"Mas Deus, em sua compaixão, teve pena de mim e mostrou-me um caminho para fora daquela cova de miséria que eu havia cavado para mim mesmo. E Ele terá clemência também de você, se você se voltar para Ele. Suas dores serão afastadas, e você esquecerá o seu pesar. A chama do amor que ateou fogo a toda a sua existência, nada mais é que a chama da juventude. Quando o jovem torna-se homem, o fogo furioso que ele carregava acaba por esfriar. Acredite-me, porque eu falo a verdade."

A intenção de Salam era pura, e seu conselho era bem-intencionado. Mas foi difícil para Majnun dominar sua ira. Com a voz trêmula, ele disse: "O que você pensa que sou? Você pensa que sou algum bêbado? Algum pobre-diabo doente de amor, insensato de desejo? Você não percebe que transcendi esse estado? Estou acima de tudo isso porque sou o verdadeiro Rei do Amor, em toda a sua majestade. Minha alma está livre da luxúria, meu desejo está livre de tudo aquilo que é desprezível e impróprio, minha mente está livre de tudo o que é vergonhoso. Eu desfiz os laços do desejo que uma vez encheram meu coração, você não percebe?

"O amor é fogo. Eu sou a madeira que é reduzida a cinzas por suas chamas. O amor arrasou o templo de minha existência. Minha alma reuniu seus pertences e mudou-se. Você pensa que esse que está diante de você sou eu?

"Não, você está errado: imagina que me vê, mas na realidade eu já não existo. Fui embora, e só permanece a mulher amada.

"E você imagina, por um segundo que seja, que o oceano desse amor, agitado pelas tempestades de dor, poderia ser acalmado ou vir a secar? Nunca — antes disso as estrelas perderiam a sua glória ou o fogo do inferno perderia seu calor! Você realmente pensa que esse amor poderia ser afastado de meu coração? Então você é mais tolo do que eu pensei! O dia em que esse amor for afastado de meu coração, esse será o dia em que você será capaz de contar os grãos de areia desse deserto!

"Se quer falar comigo, tome cuidado com o que diz! E se estima sua vida, seria melhor guardar essas tolices para si mesmo."

As palavras de Majnun abalaram Salam profundamente. Os anciãos não tinham avisado para ele tomar cuidado com a língua? Ele não havia sido aconselhado a não atirar uma flecha antes de testar o arco? As palavras deixam os lábios de um homem até mais rapidamente do que as flechas deixam o arco, mas a vergonha e o pesar permanecem. Salam começou a desejar nunca ter aberto a boca.

Salam e Majnun estavam destinados a trilhar o mesmo caminho, mas por pouco tempo. Durante um período, o jovem de Bagdá aceitou a vida do deserto e os modos do ermitão selvagem. E sua nova vida realmente não deixava de ter suas recompensas, pois os versos de Majnun eram como pérolas de grande beleza, espalhadas para ele apanhar e guardar, preservar no cofre de sua memória.

Mas logo a fome e a insônia da vida com Majnun começaram a cobrar seu preço. Salam começou a sentir que sua saúde e sua sanidade estariam em perigo caso ele ficasse ali mais um dia. E assim abandonou as bestas selvagens e o mestre delas e retornou a Bagdá e ao mundo dos homens. Lá ele recitou os versos do louco e pasmou a todos que o escutaram com a sabedoria e beleza dos poemas, que calavam fundo em suas almas.

49

Tudo o que nos acontece nesta vida tem um significado, até mesmo quando, às vezes, ele é difícil de compreender. Toda página do vasto Livro da Vida, que é tão grande quanto o próprio universo, tem dois lados: num lado, empenhamo-nos em escrever nossos planos, nossos sonhos, nossas aspirações; no outro, o lado que nós não podemos ver, está preenchido pelo Destino, cujos decretos raramente concordam com nossos desejos.

Quem pode decifrar as inscrições secretas do Destino? Para começar, estamos impossibilitados de lê-las. Então, quando podemos fazê-lo, somos incapazes de suportá-las! Nossos pensamentos e esperanças, nossos sonhos e aspirações, tudo prolonga-se rumo ao futuro, mas muitas vezes cometemos enganos e, quando nossos cálculos não estão corretos, temos de pagar. Admiramos a rosa e desejamos apanhá-la, só para ter nossas mãos rasgadas por espinhos quando nos debruçamos para arrancá-la. Sofremos fome e sede e temos desejos frustrados, esquecendo que satisfazer nossos desejos pode ser nossa destruição, e que ficar sem as coisas que mais desejamos pode ser a nossa salvação. O fato é que o Destino e os desejos humanos normalmente estão em lados opostos: quando o homem está em conflito com o que foi escrito para ele no livro do Destino, seria melhor consentir do que se rebelar. Pois o homem se esquece de que aquilo que parece ser veneno às vezes transforma-se em mel.

Veja Laila, por exemplo. Para os outros ela era um tesouro; para ela mesma, um fardo. Para o marido, Laila era uma jóia de beleza incomparável; para Laila, o marido era uma serpente venenosa que se enroscara ao seu redor. Aos olhos dele, ela era a lua em todo o seu esplendor; aos olhos dela, ele era o dragão que prende a lua em suas mandíbulas pútridas. Assim, Laila e o marido sofreram, ela por causa dele, ele por causa dela.

Para o marido de Laila, a situação era insuportável; mas, para Laila, era uma tortura. Afinal, ela não estava como um rubi inestimável preso ao coração de uma pedra? Que armas teve além de paciência e decepção? Que alegria terrena teve além de seu amor por Majnun, um amor que ela alimentou em segredo, que ela escondeu de todos os olhos, especialmente os do marido?

E quanto a Ibn Salam? A situação dele era melhor que a dela, no menor aspecto que fosse? Aos olhos do mundo, ele possuía a jóia mais preciosa conhecida pelo homem; na verdade, porém, ele não possuía nada. Ele sabia que Laila realmente nunca havia sido e nunca poderia ser dele. Ele sabia e manteve isso em segredo, oculto dos outros, embora lhe doesse tanto. E assim manteve guarda de um tesouro de que não lhe permitiam desfrutar, embora todas as aparências indicassem o contrário.

As feridas da picada do amor não correspondido ferroavam e doíam, mas os sentimentos de Ibn Salam por Laila eram tão fortes que ele agradecia qualquer coisa que ela lhe dava, até mesmo dor e aflição. E se ele não a pudesse possuir, pelo menos ele poderia conservá-la: ele seria o mágico, e ela, a fada, cativa no palácio dele, escondida dos olhos dos homens. Se ele não podia amá-la e ser amado por ela, pelo menos ela era dele, para ser adorada para sempre.

Laila sabia como Ibn Salam se sentia? Sempre que ele se aproximava dela, a moça escondia as lágrimas e simulava um sorriso. Os que a viam não percebiam a extensão de seu pesar, mas por que deveriam? Quando uma vela queima solitária, vemos somente a luz que ela irradia; raramente percebemos que, enquanto dá de si mesma aos outros, a vela que derrama lágrimas de cera é consumida e não pode mais brilhar.

Mas a roda da fortuna gira, e quando ela gira a mão do Destino se revela. No fim, Ibn Salam perdeu toda a esperança. Laila raramente o via, e cada encontro era mais doloroso que o anterior. O que pode fazer um homem quando ama mas não é correspondido? A tristeza presa em sua alma tinha-se disseminado lentamente, envenenando todo o seu ser. O corpo de Ibn Salam estava arruinado pela febre, sua respiração era tão quente e seca quanto o vento do deserto. Gravemente enfermo, Ibn Salam caiu de cama.

Um médico foi chamado, o mais qualificado na terra. Ele tomou a pulsação de seu paciente, examinou o sangue e a urina, deu-lhe ervas e poções que finalmente extinguiram o fogo. Aos poucos, a força de Ibn Salam retornou, e, durante algum tempo, ele pareceu fora de perigo. Mas assim que pôde se levantar e caminhar novamente ignorou as recomendações médicas e começou a comer e beber todas as coisas que o médico lhe havia proibido. A febre retornou, e Ibn Salam caiu, com o corpo ainda mais fraco do que antes.

Com a primeira onda da inundação, a terra dura é revolvida; com a segunda onda, ela é totalmente lavada. Dessa vez não houve nada que o médico pudesse fazer para ajudá-lo. Ibn Salam ainda era jovem, e embora a enfermidade e o pesar tivessem debilitado seu corpo quase a ponto dele morrer, sua constituição física robusta lutou contra o novo ataque. Durante alguns dias pareceu que venceria as dificuldades. Entretanto a respiração ficou mais lenta e superficial, até que, no quarto dia, sua alma deixou o corpo e seguiu com o vento, deixando para trás esse mundo de dor, esse vale de lágrimas.

Tudo o que somos e tudo que temos realmente nos é dado em confiança: o empréstimo da vida é nosso, mas por pouco tempo. Chega um momento em que temos de devolver tudo aquilo que nos foi concedido. Assim, o homem não deveria se agarrar àquilo que lhe foi confiado, pois o desejo de posse é apenas uma corda que o liga a esse mundo de transição. Para obter a jóia real, é preciso abrir completamente o cofre e desejar mais do que a efêmera vida.

E Laila, agora que Ibn Salam estava morto? Na verdade, ela nunca o amara. Mas ele era seu marido e certamente merecia ao menos a piedade da moça. Ela tinha pena dele, mas essa piedade foi suavizada por uma enorme sensação de alívio. Por muito tempo ela manteve seus sentimentos íntimos ocultos. Agora, as correntes que a haviam mantido prisioneira durante todos esses anos haviam se rompido, e de repente ela estava livre, como um dos animais que seu amado Majnun retirara das armadilhas dos caçadores. Agora ela estava livre para prantear a alegria perdida de seu coração, para se lamentar sem medo de que a questionassem ou espionassem. Pois agora ninguém poderia saber quem ela estava carpindo! Na aparência, é claro que mantinha o luto por Ibn Salam; mas no fundo de seu coração suas lágrimas, como sempre, eram para Majnun, somente para ele.

Sim, ela era livre, tão livre quanto o seu amado Majnun, embora a liberdade fosse de um tipo diferente. Conforme os costumes de seu povo, ela teria que ocultar sua face e não poderia ver ninguém. Durante dois anos inteiros ela se recolheu à tenda, fora do mundo, só com o seu pesar. Mas era isso o que ela queria. Nada podia agradar-lhe tanto! Ficar só, sem medo de dedicar seu coração, sua alma e suas lágrimas ao único homem que ela já amara.

50

No jardim, as folhas estavam caindo como lágrimas. As flores haviam tirado suas vestes multicoloridas de verão e vestido as túnicas sombrias do outono. A prata do jasmim perdera seu brilho; a rosa chorara pétalas e lamentara com nostalgia a passagem do verão; o narciso dera adeus a seus companheiros e preparara-se para partir.

Como marinheiros amedrontados numa tempestade que avança, as árvores frutíferas lançaram suas cargas ao mar, e os jardineiros colheram maçãs, uvas e bagas, para protegê-las das baixas temperaturas que se aproximavam. Os rios e os lagos perderam seu calor, enquanto o aspecto do campo perdeu seu brilho de esmeralda e ficou amarelo e pálido.

Assim como o jardim lentamente murchou, o mesmo aconteceu com Laila: sua primavera terminara, transformada em inverno pelo dedo gelado do Destino, pelo toque glacial das mais difíceis atribulações da vida. Houvera um tempo em que o fogo da vida queimara radiante dentro dela. Agora não era nada mais do que uma chama trêmula, um brinquedo do vento que poderia cessar a qualquer momento. Da lua cheia que fora o esplendor de Laila, permaneceu apenas um pálido crescente. Do cipreste imponente que fora sua conduta, podia-se ver apenas uma sombra fraca. Laila era uma flor que perdera seu frescor e suas pétalas. Na verdade, Laila não era mais Laila.

O corpo da moça estava arruinado pela febre. Erupções na pele e grandes manchas marcavam seu rosto e seus braços. A fadiga era tão grande que ela não conseguia deixar o leito. Logo ela percebeu que não permaneceria por muito tempo neste mundo.

Ela soube que a morte estava perto porque podia sentir sua presença no quarto, podia sentir sua respiração gélida em seu pescoço. Sabendo que chegara o tempo de partir, ela não permitiu que ninguém além de sua mãe a visitasse.

Mas, mesmo tarde demais, decidiu revelar seu segredo pele primeira e última vez. Tomou a mão de sua mãe e disse: "Querida mãe, minha luz está enfraquecendo, e logo a vela de meu ser se apagará. Antes que se faça a escuridão e que minha alma seja levada, eu tenho de dar voz ao que está em meu coração.

"Na verdade, não tenho outra escolha a não ser desabafar: o pesar rompeu o selo de meus lábios, e já não posso mais suportar. Aquele que eu amo — o homem para o qual eu vivi e pelo qual eu morro agora — está longe e não me pode ouvir.

"Mas você pode me ouvir, querida mãe! E já que pode me ouvir, então eu lhe imploro que escute bem e faça o que eu lhe peço.

"Quando eu estiver morta, vista-me com uma veste nupcial. Não usarei mortalha ou bandagens. Vista-me de noiva e faça-me bonita.

"Para pintar meus olhos, você deve apanhar o pó que está sob os pés de meu amado. Em lugar de índigo, você deve usar a escuridão do pesar que ele carrega. Em vez de água de rosas, deve usar as lágrimas dele. E em vez de perfume, deve usar o sofrimento dele.

"Meu vestido nupcial deve ser vermelho-sangue, a cor do martírio. Não sou mártir por amar? Vermelho é a cor da festa e da comemoração. A morte não é meu banquete? Não é o meu festejo? Então, depois que você me vestir de vermelho, cubra-me com um véu de terra — um véu que eu nunca mais deixarei de usar.

"E então eu esperarei. Eu esperarei até que ele venha, porque ele virá. Aquele viajante inquieto, o eterno nômade do amor, encontrará o seu caminho para a minha tumba, e lá ele irá se sentar e implorar para que eu apareça. Mas o véu de terra jamais se erguerá, e ele irá chorar lágrimas amargas. Conforte-o, mãe, porque ele é o meu verdadeiro amigo. Trate-o bem e mostre compaixão por ele, como se ele fosse seu próprio filho.

"Faça isso pelo amor de Deus e porque eu o amei. Amei-o mais do que minha própria vida, e meu desejo é que você também o ame. Ele é tudo o que tenho, mãe, e dou-o a você, para que tome conta dele."

Laila respirou com dificuldade para tomar fôlego; seus olhos giravam, e contas de suor formavam-se como pérolas no marfim de sua face. Mas ela ainda não havia terminado. Com a voz reduzida a um sussurro ofegante, continuou: "Quando ele vier, você irá reconhecê-lo imediatamente. Quando ele vier, dê-lhe este recado. Diga-lhe: 'Quando Laila deixou este mundo, ela partiu com seu nome nos lábios. As últimas palavras dela foram sobre você, somente sobre você; na morte, assim como na vida, ela foi fiel somente a você. Ela compartilhou do seu pesar nesse mundo e agora ela levou-o como alimento para a sua jornada.

"'O amor dela por você não morreu com ela; onde quer que esteja, ela ainda procura por você. É verdade, você não pode penetrar esse véu de terra e olhar os olhos dela, mas se você pudesse veria que eles ainda estão procurando por você.

"'Os olhos de Laila falam como livros, cada um escrito em seu nome, cada um dedicado à sua memória.' Essa é a mensagem que você deve lhe transmitir, mãe."

Os lábios de Laila tremeram e, com lágrimas que lhe escorriam pelas faces, ela gritou o nome de seu amado pela última vez. Conforme sua voz sumia, a luz em seus olhos ofuscou-se, e sua alma libertou-se das amarras.

A mãe de Laila embalou sua filha morta nos braços e apertou-a firmemente, como para forçar a vida a voltar ao corpo da moça. Ela comprimiu seus lábios contra as faces pálidas da filha e acariciou o cabelo dela, sussurrando seu nome a todo momento, vertendo lágrimas amargas de dor e piedade. Ela teria dado o mundo para que sua querida filha pudesse ter mais alguns momentos de vida.

Mas, mesmo se ela possuísse o mundo nada poderia devolver Laila à terra dos vivos. A jovem se fora, e nada poderia ser feito para trazê-la de volta: a morte é um reino do qual nenhum viajante pode voltar. E enquanto a mãe permanecia ali, chorando, uma suave chuva começou a cair, como se o céu estivesse se unindo ao lamento dela.

51

O vaticínio de Laila tornou-se conhecido: assim que Majnun ouviu falar da morte de sua amada, apressou-se a chegar até o sepulcro dela, como uma nuvem de trovões dirigida por uma tempestade furiosa.

Aquela era uma visão terrível, pois ali estava uma alma profanada pelo pesar; ali estava um coração saqueado pelo fogo da dor e da miséria, um fogo tão terrível que reduzira Majnun a um mero punhado de cinzas. Aqueles que o viram ao lado do túmulo de Laila ficaram tão chocados com sua aparência, que a maioria deles fugiu aterrorizada. Os que depois ouviram os outros falarem de Majnun tiveram pena e choravam por ele. Ninguém — nem mesmo o mais duro dos corações — ficaria impassível diante do que viu ou ouviu naquele dia.

No princípio, ele contorceu-se no pó como uma serpente louca que guarda um tesouro de valor imensurável. Então, assim que a morte de Laila começou a penetrar em sua alma, ele ficou com o olhar vidrado, como se estivesse em transe ou sob o efeito de algum feitiço. Durante algum tempo ele ficou ali sentado, sem condições de falar. Até que uma torrente abriu os portões da emoção, e uma tempestade de lamentos explodiu:

"Minha querida flor! Você murchou antes mesmo de ter alguma chance de florescer. As geadas cruéis do infortúnio transformaram sua primavera em outono: você mal havia aberto seus olhos para ver o mundo quando eles foram fechados para sempre."

A multidão aglomerada assistia, confusa, a Majnun balançar-se para a frente e para trás, ajoelhado ao pé do sepulcro de Laila, como um homem possuído.

As palavras dele — certamente, pensavam eles, aquilo era produto de um delírio estranho — eram mais altas e mais selvagens a cada retomada de fôlego. Ele continuou: "Diga-me: como está você aí embaixo, na escuridão? O que resta de sua beleza agora? As covinhas em seu rosto, seus olhos de corça, os cachos cheirosos de seu cabelo negro como a noite — o que aconteceu com eles? De que cores eles vestiram você, minha doçura? De quem são os olhos que você ilumina agora, e que mentes você encanta com a magia de seu sorriso? Que margem de rio você adorna, minha flor? De quem é a cama de espinhos que você transformou numa rosa de jardim? Diga-me: como você passa seu tempo na escuridão da caverna úmida da morte? Você não percebe que onde há cavernas há serpentes demais? Uma caverna não é um lugar adequado para você, cuja beleza ofusca o brilho da lua! Mas você é também um dos maiores tesouros de Deus, e uma caverna é um lugar adequado para esconder o que é muito precioso. É isso! Você agora é um tesouro enterrado — senão, por que você repousa profundamente sob a terra? Além disso, todo tesouro enterrado tem uma serpente para guardá-lo. Eu sou sua serpente e irei guardá-la até o dia da minha morte.

"Como você está mudada, meu amor! As mãos cruéis do Destino provocaram uma tempestade em seu coração, girando você até que ficasse tonta e confusa, até que desejasse apenas se libertar.

"Mas agora a tempestade amainou, você está em paz, e o oceano de sua alma, mais calmo que a água no fundo de um poço. É verdade, você está escondida de meus olhos, mas meu coração pode ver você e nunca a perderá de vista! É verdade, você não está aqui pessoalmente, mas a dor e o sofrimento que você suportou nesta vida irão mantê-la viva para sempre."

Majnun levantou-se e deu uma olhada a seu redor. As pessoas tinham ido embora, apavoradas pelo que tomavam como delírios de um louco. Mas Majnun não estava só. Ao seu redor estavam seus animais, os companheiros que o apoiavam com a lealdade muda que tocou seu coração. E quando ele finalmente retornou ao deserto, suas feras seguiram-no.

A caravana sombria formada por um homem e seus animais selvagens abria seu caminho pelo deserto. Majnun cantava uma canção assombrosa, enquanto andava pelo caminho. Como ele cantava o único poder que conquista a morte — o poder do amor —, os tons melancólicos de seu canto ecoaram pelas montanhas. Parecia que até mesmo as areias sob seus pés sussurravam o mesmo lamento. E enquanto cantava ele derramava lágrimas de sangue que caíam ao chão, deixando uma trilha carmesim por onde passava.

Mas Majnun já não se sentia em casa nas vastidões do deserto. De vez em quando, o desejo de visitar Laila subjugava-o, e ele retornava correndo ao sepulcro dela, trazendo consigo suas feras. Como um rio transbordante, ele corria vale abaixo até onde ela descansava, para plantar beijos ternos na terra que a cobria. E ao longo de sua peregrinação, quando ele se deitava em comunhão chorosa com seu anjo enterrado, os animais montavam guarda e velavam por ele. As visitas à tumba de Laila não tinham hora certa. Por isso, os amigos e a família de Laila mantiveram-se longe do cemitério, amedrontados com a possibilidade do louco surgir repentinamente, sem avisar. Quem, indagavam eles, se arriscaria a ser abatido por um leão enfurecido, ou mordido por um cão raivoso?

52

Depressa, bem depressa, ele fazia sua viagem rumo à morte. Mas quanto mais rápido se movia, mais parecia que jamais alcançaria sua meta. Agora era apenas mais um peregrino no mundo, apressando-se rumo ao sepulcro, que era sua Meca, seu único lugar de descanso em meio a um caminho de pedras e espinhos. A colheita de seu tempo na terra queimara, as brasas ainda ardiam no chão, e agora o fardo pesado do Destino esmagava seus ossos, transformando-os em pó.

Aos poucos Majnun enfraquecia, até que um dia soube que havia alcançado o limite. Lentamente, pela última vez, arrastou-se até a tumba de Laila. Escurecia quando chegou, o céu índigo profundo crivado de estrelas. A Via Láctea era como um rio em corredeira; logo o barco de Majnun levantaria âncora pela última vez, e sua alma iria se juntar àquele rio para a jornada final. Ele sentou-se exausto ao pé do sepulcro de Laila, ergueu o rosto e, elevando as mãos para os céus, começou a rezar:

"Ó Senhor, Criador de todos os seres! Eu imploro em Vosso próprio Nome: aliviai-me do fardo da vida! Libertai-me e deixai-me ir ao encontro de minha amada! Desatai as correntes que me prendem a este mundo cruel e deixai-me voar!"

Majnun fechou os olhos, deitou-se sobre o sepulcro de Laila e apertou o corpo contra a terra, com toda a força que lhe restava. Seus lábios crestados moveram-se numa oração silenciosa. Então, com as palavras "Laila, meu amor...", sua alma libertou-se. Majnun já não existia mais.

53

Alguns dizem que o corpo de Majnun permaneceu sobre o sepulcro de Laila durante um mês, outros dizem que foi por um ano. Alguns dos que lá o viram juravam que ele não havia morrido, mas que estava somente dormindo, porque suas feras permaneciam em vigília, assim como uma pessoa vela o sono de uma criança. Nem mesmo as feras puderam acreditar que ele não se levantaria novamente.

O medo que sentiam dos animais que se aglomeraram ao redor da tumba dos amantes manteve as pessoas afastadas. De longe, elas observavam e diziam: "O louco ainda está adormecido no sepulcro de sua amada."

E assim, tanto na morte como na vida, Majnun permaneceu só. Até mesmo os abutres que voavam em círculos e abatiam-se sobre a tumba não se aproximavam dele. Finalmente, tudo que restava de Majnun tornou-se pó e voltou à terra. Nada mais havia senão ossos. Só então os animais abandonaram sua vigília. Um a um eles penetraram no deserto e deixaram seu mestre só.

Assim que os animais se foram, as pessoas se aproximaram. Membros das duas famílias — da tribo de Laila e da tribo de Majnun — vieram lamentar no sepulcro em que seus entes queridos descansavam, unidos finalmente pela morte. Uma lápide nova foi feita, e nela foram inscritas as palavras:

Nesse túmulo dormem dois amantes,
Unidos finalmente no escuro ventre da morte.
Fiéis na separação, unidos pelo amor:
Um só coração, uma só alma no paraíso.

Este livro foi composto pela
TopTextos Edições Gráficas,
em ApolloMT e ElGreco, e
impresso pela Geográfica
Editora em outubro de 2002.